MADRID

ISBN: 84-7782-747-8
Depósito legal: B-42789-2000

LUNWERG EDITORES
Beethoven, 12 - 08021 BARCELONA. Tel. 93 201 59 33 - Fax 93 201 15 87
Sagasta, 27 - 28004 MADRID. Tel. 91 593 00 58 - Fax 91 593 00 70
Impreso en España

MADRID

Fotografías

Ramón Masats

Texto

Luís Carandell

MADRID
Luís Carandell

Ramón Gómez de la Serna llamaba «Madrid porvenirista» al conjunto arquitectónico de la Gran Vía, que en su tiempo se estaba construyendo. ¿Qué diría ahora el gran Ramón al ver el bosque de rascacielos, los edificios de acero y cristal que han surgido aquí como plantas autóctonas? El primer rascacielos que tuvo Madrid, precisamente en la Gran Vía, fue la Telefónica, construida a finales de la década de los veinte. No debieron de echarle cuenta los madrileños de entonces porque cuando, en los cincuenta, se levantó el Edificio España, en la plaza de su nombre, la gente empezó a llamarlo «El Taco», porque decían que, cuando alguien lo veía por primera vez, soltaba uno de admiración. Luego vinieron otros, entre ellos el que se llamó la Torre de Valencia, que vio empañada su indudable calidad arquitectónica por el hecho de que, visto desde la plaza de la Cibeles, rompía la bella perspectiva de la Puerta de Alcalá

En los últimos cincuenta años, Madrid ha crecido en altura. Podría haberse extendido mucho más de lo que lo ha hecho, ensanchándose en el semidesierto que lo circunda. Prefirió crecer hacia arriba, extendiéndose también, con la fuerza de los grandes árboles. A veces, cuando desde el borde de la zona urbanizada se contempla el pardo secano mesetario escasamente productivo, se pregunta uno qué sentido tiene aprovechar tanto el terreno construyendo altos edificios de viviendas, en un lugar donde tanto abunda el espacio disponible.

Pero el rascacielos es la imagen del siglo xx y Madrid daría la impresión de no haber pasado por él si no hubiese levantado, especialmente en la zona Norte de la ciudad, los esbeltos monumentos de la arquitectura contemporánea. Tendremos ocasión de encontrarlos a lo largo de nuestro paseo. Basta decir ahora que Madrid ya no es, tan sólo, la ciudad meridional que siempre fue y en cierto modo continua siendo, sino que ya hay un Madrid «nórdico» que compite sin desdoro con muchas ciudades europeas y se acerca a algunas americanas.

Personalmente, encuentro muy bello este Madrid «porvenirista», como habría dicho Ramón. Sobre todo porque su modernidad se ha impregnado ya del estilo de vida madrileño, se ha humanizado, podríamos decir y ha pagado su tributo al carácter de la villa que le vio nacer. El tono, cortesano por un lado, popular por otro, que caracteriza a los barrios antiguos se ha trasladado también a los nuevos distritos de la ciudad. En zonas donde los rascacielos podrían haber impuesto unas formas de vida americanas, hay funcionarios y empleados que salen a tomar café como un solo hombre a media mañana como hace todo Madrid; hay cafeterías con menú de lentejas y filete con unas hojitas; hay tascas de tapas donde se pueden tomar boquerones en vinagre, pinchos de tortilla, torreznos y bocadillos de calamares; y hay verdulerías, fruterías y tiendas de ultramarinos que podrían estar en la calle de Toledo.

El encanto de Madrid reside precisamente en la convivencia de lo antiguo y de lo nuevo. Y se diría que el fuerte carácter de la ciudad es resistente a todos los cambios y sobrevive a todas las modernizaciones. Acoge con facilidad todas las modas, todas las tendencias pero no parece que se deje convencer del todo por ninguna de ellas. Siendo una ciudad hecha de muchos pocos, un poco musulmana, un poco castellana, un poco andaluza, un poco austríaca, un poco francesa, un poco neoyorquina, lo que predomina en ella es la tierra mesetaria donde nació. Quien mejor la ha representado en nuestros días es el gran Antoñito López cuando pinta esos abigarrados paisajes urbanos de color rojizo de ladrillo. Ese es el tono predominante que se percibe cuando se contempla Madrid desde cualquier azotea (o desde el avión), aunque ya no es cierto lo que decían los viajeros antiguos al escribir sus impresiones de la ciudad: que Madrid era una ciudad enteramente construida en ladrillo, si se exceptuaba el Palacio Real, algunas iglesias y también la Cárcel de Corte, que se hizo de piedra, lo más lujosa posible, pensando quizá que a ella irían a parar no pocos grandes personajes de la alta política.

La tradición árabe

Madrid ha sabido convertir el humilde ladrillo en un material de gran nobleza. De ladrillo son iglesias como San Nicolás de los Servitas, San Pedro el Real, San Jerónimo o el Oratorio del Caballero de Gracia. En nuestro siglo se han construido preciosos edificios de estilo neomudéjar como las Escuelas Aguirre, la Plaza de Toros Monumental de las Ventas o el Matadero Municipal en que pueden verse las caprichosas combinaciones de ladrillos de la tradición de los alarifes árabes. En años recientes, el ladrillo ha sido el material constructivo básico de gran número de edificios de viviendas, escuelas, centros culturales o estudios de artistas.

También es muy frecuente encontrar en Madrid una sabia combinación de ladrillo y piedra berroqueña. El mismo Palacio de Santa Cruz, sede del Ministerio de Asuntos Exteriores y que originalmente fue la Cárcel de Corte a que antes me refería, es una muestra de ese elegante estilo madrileño. Lo mismo puede decirse de la Casa de la Villa, del Museo del Ejército, que fue el Salón de Reinos del Palacio del Buen Retiro o bien de la antigua Casa de Correos, hoy sede de la Presidencia de la Comunidad de Madrid, en la Puerta del Sol.

Desde las sobrias casas con fachadas de estuco y balcones de los siglos XVI y XVII hasta los últimos ejemplos de los edificios de hormigón y cristal, Madrid ofrece toda una antología de la arquitectura. Si algo le falta a Madrid es la arquitectura modernista que tanto abunda en Barcelona. A este estilo pertenece solamente el edificio de la Sociedad de Autores, en la calle de Fernando VI, obra de un arquitecto barcelonés, Grases y Riera, que fue condiscípulo de Gaudí.

Como ciudad que acoge con gusto todas las novedades, Madrid ofrece en sus calles una gran variedad de estilos arquitectónicos. Buena muestra de ello es la Gran Vía y también la conjunción de la calle Alcalá y la calle Sevilla, con la Equitativa, actual sede del Banco Español de Crédito, el Banco de Bilbao o el Casino de Madrid. Por no hablar ya del Barrio de Salamanca; del Paseo del Prado, donde se alzan los bellísimos edificios de los hoteles Ritz y Palace, o de la Glorieta de Atocha con el soberbio edificio de hierro y cristal de la estación de su nombre, el antiguo Hospital de San Carlos, hoy Centro de Arte Reina Sofía, y el Ministerio de Agricultura, con el pórtico compuesto por ocho columnas corintias y el ático rematado por tres airosas esculturas.

En las últimas décadas ha surgido en la Castellana un Madrid contemporáneo que cuenta con edificios tan proporcionados y elegantes como el del BBV, obra de Sainz de Oiza, la Torre Europa, de Oriol e Ibarra, el Complejo AZCA, de Antonio Perpiñá o la Torre Picasso, del autor de las Torres Gemelas de Nueva York, Minoru Yamasaki, por citar sólo unos pocos ejemplos. En la nómina de los más bellos edificios modernos de Madrid habría que incluir también, entre otros, el que lleva el nombre de Torres Blancas, en la Avenida de América. El arquitecto que lo diseñó, Sainz de Oiza ha dado posteriormente una muestra de la adaptación de la arquitectura de ladrillo a la modernidad con el edificio de viviendas de la M-30. Es una construcción de traza elicoidal que alberga 364 viviendas sociales. El exterior está perforado por gran número de ventanas de muy reducidas dimensiones para evitar que llegue al interior el ruido de la carretera de circunvalación. La fachada de este edificio que en su cara exterior tiene aire de bunker da a un soleado patio con decoración de alegres colores.

Los tejados de Madrid

Madrid es una mezcla de Navalcarnero y Kansas City, escribió Camilo José Cela poniendo de relieve la llamativa combinación de capital y pueblo que se da en esta ciudad. Un buen cicerone de la Villa y Corte debería recomendar a los visitantes que se subieran a una altura o atalaya del centro de la ciudad para ver Madrid desde arriba. La visión de los tejados de la ciudad vieja permitirá adivinar mucho de su historia y de su carácter. La moderna capital que es hoy centro de una connurbación de más de cuatro millones de habitantes fue en sus orígenes un pueblo. Los tejados árabes de los barrios del centro delatan la pervivencia del «burgo manchego» que Madrid fue antes de ser capital. Alguien definió esta ciudad como «un pueblo en el cual se construyó un palacio» y de ahí que siempre se haya podido distinguir en ella lo que tiene de Corte de lo que tiene de Villa. Es cortesana, con elegancias austríacas o francesas en la Plaza Mayor o en el Prado, bajo cielos velazqueños. Pero no ha perdido del todo el carácter morisco del burgo fundado por un emir cordobés como puesto fronterizo para defender Toledo de las incursiones de los reinos cristianos.

En menos de medio siglo, Madrid ha cuadriplicado su población. Y su desmesurado crecimiento ha traído gentes de todas partes a este «rompeolas de las Españas». Pero la pujanza de la capital no ha hecho desaparecer a la Villa. Los rascacielos coexisten con las casitas bajas, los restaurantes donde puede probarse toda la variedad de la gastronomía mundial, con las tascas tradicionales. Y los grandes almacenes con las humildes tiendas en cuyas portadas se pueden leer rótulos como «Se vende pan duro», «Huevos frescos de Castilla, la primera casa en huevos», «Gran peluquería. Se corta el pelo a señoritas». Y junto a los grandes hoteles, siguen existiendo viejas posadas como las de la Cava Baja, abiertas desde el siglo XVIII, o galdosianas pensiones para «viajeros y estables».

El Madrid histórico se divide en tres. Del Magerit morisco que va de la Cava Baja a las Vistillas quedan los nombres de algunas vías y rincones, Calle de la Morería, Puerta de Moros, tiendas de artesanos que fabrican aperos de labranzas y un cierto olor a fritos que surge de mínimas tabernas. A este Madrid de las Cavas llegan todavía labradores provinciales y mieleros de la Alcarria que se hospedan en las viejas posadas, a vender su mercancía, comprar lo que necesitan y ver el espectáculo de Lina Morgan en La Latina. De este Magerit, por los años del siglo XI en que el rey Alfonso VI lo tomó a los musulmanes, fue Isidro Merlo y Quintana, el humilde labriego a quien los ángeles ayudaban a labrar el predio de su señor Ivan de Vargas. Pocas ciudades habrá en el mundo que tengan un agricultor por santo patrón. Junto a la Plaza del Cordón podremos ver la casa donde Isidro sirvió y, no lejos de allí, al otro lado del río, la fuente que él hizo manar en tiempos de sequía (de forma muy «natural» y sin esforzarse mucho porque tenía una forma muy madrileña de obrar milagros). En su iglesia de la calle de Toledo se conserva, dicen, el cuerpo incorrupto de San Isidro, que se muestra a los fieles en algunas ocasiones solemnes. Por aquellos tiempos de la Reconquista, Madrid estaba rodeado de murallas algunos de cuyos lienzos han quedado ahora al descubierto. En la muralla que rodeaba la ciudadela fue encontrada la Virgen de la Almudena que da nombre todavía a muchas chicas del Madrid de hoy.

Sobre el castillo árabe de las épocas en que, según el viejo romance de Nicolás Fernández de Moratín, el Cid Campeador venía a Madrid a alancear toros, construyeron los reyes Trastámaras un alcázar que más tarde reedificaron los Austrias. Los Reyes Católicos convocaron Cortes en Madrid y el emperador Carlos tuvo en la ciudad uno de sus lugares predilectos. En 1561, su hijo, Felipe II, sin tomar nunca la decisión expresa de hacer de Madrid la capital de sus reinos, permitió que la Corte se estableciera en ella. A partir de entonces se construyeron en la villa bellos edificios entre los que destacan la Capilla del Obispo, junto con la iglesia de San Andrés, con el precioso retablo de Francisco Giralte, así como el monasterio de las Descalzas Reales, fundado por Felipe II para su hermana Doña Juana, viuda del rey de Portugal, o el monasterio de la Encarnación.

Capital de dos mundos

El establecimiento de la Corte en Madrid hizo que la ciudad duplicara su población con la llegada de nobles provinciales, órdenes religiosas, obispos y curas, artistas y artesanos, militares, abogados, doctores y comerciantes y, con ellos, pícaros, alcahuetas y rufianes, constituyendo una sociedad que fue caldo de cultivo de la gran literatura del Siglo de Oro y del florecimiento de las artes.

La pieza maestra del Madrid de los Austrias es la que, desde el siglo XVI, recibe el nombre de Plaza Mayor. Su origen debió de ser un mercado que se celebraba fuera del recinto urbano y que ya Felipe II mandó acondicionar. En

1590 se iniciaron las obras de la Casa de la Panadería. Este nombre, igual que el de la Casa de la Carnicería, atestigua el origen mercantil de la Plaza. Fue Felipe II quien encargó a Gómez de Mora la construcción de la Plaza, que fue inaugurada el 15 de mayo de 1620 con una loa cantada con versos de Lope de Vega para celebrar la beatificación de Isidro, considerado Patrón de la ciudad desde mucho antes. También se celebraron fiestas con motivo de la canonización de Teresa de Jesús, Ignacio de Loyola, Francisco Javier y otros santos.

Pero la Plaza Mayor, corazón de la ciudad antigua, servía lo mismo para celebrar a un santo que para condenar o ajusticiar un reo o bien organizar un baile de máscaras o una corrida de toros. En esta plaza tuvieron lugar las grandes fiestas ofrecidas a Carlos de Inglaterra, Príncipe de Gales, que en 1623 vino a Madrid con la pretensión de casarse con la Infanta María hermana de Felipe IV, una boda que no llegó a realizarse. Contrastaba esta fastuosa celebración de bienvenida con la concentración que se había registrado en la Plaza Mayor dos años antes para asistir a la ejecución de la pena capital contra don Rodrigo Calderón, Marqués de Sieteiglesias, a comienzos del reinado de Felipe IV.

Las corridas de toros eran frecuentes en la plaza. La última de ellas se celebró en 1847, con motivo de las bodas de Isabel II.

El incendio que la Plaza Mayor sufrió en 1791 obligó al arquitecto Juan de Villanueva a restaurar algunos de los edificios, aprovechando para cerrar los accesos a la plaza mediante arcos. Desde comienzos del siglo XIX, la plaza ha sufrido grandes alteraciones. Por iniciativa de don Ramón de Mesonero Ramonos, se colocó allí la estatua ecuestre de Felipe III, obra de Juan de Bolonia y Pietro Tacca. La Casa de la Panadería tiene en su Salón Real una bella decoración de frescos pintados por Claudio Coello y Ximénez Donoso, así como un zócalo de azulejos de Talavera. Actualmente está destinada a Archivo de la Villa.

Siguiendo lo mejor de su tradición, la Plaza Mayor es hoy lugar de celebración de conciertos, representaciones teatrales o bailes de Carnaval. Durante todo el año y sobre todo en verano, la plaza es un lugar animado al que acude mucha gente joven, turistas y familias con niños siguiendo el itinerario de los mesones.

Los Borbones fueron muy buenos urbanistas. Trazaron avenidas y calles que aún sirven para el abrumador tránsito de nuestros días. Llenaron Madrid de bellos edificios. Uno de los reyes de la Casa de Borbón, Carlos III, recibió el sobrenombre de «el mejor alcalde de Madrid». La más importante obra del período borbónico es el Palacio Real, más comúnmente llamado Palacio de Oriente.

El incendio del palacio

Durante el reinado de Felipe V, en la Nochebuena de 1734, uno de los incendios más devastadores que haya presenciado Madrid redujo a cenizas el viejo Alcázar de los Austrias. La familia real se encontraba esa noche en el Palacio del Buen Retiro. Si es verdad que en el incendio se perdió una riquísima colección de arte, también lo es que brindó a Felipe V la posibilidad de construir un nuevo palacio más adecuado que el antiguo a las necesidades de la Corte.

El arquitecto italiano Filippo Juvara, llamado por el rey, trazó un grandioso proyecto, al parecer inspirado en Versalles y situado fuera del recinto urbano. Felipe V rechazó el proyecto, y muerto Juvara, su sucesor, el también italiano Juan Bautista Sacchetti, diseñó el actual palacio en el emplazamiento del antiguo Alcázar. El primer rey que pudo habitarlo fue Carlos III. Se trata de una magnífica muestra de la arquitectura palaciega y está decorado espléndidamente con obras y frescos de artistas italianos y españoles del siglo XVIII. Los reyes de España, hasta Alfonso XIII, habitaron este palacio. Actualmente se utiliza para grandes recepciones y se puede visitar como museo.

Madrid es desde hace siglos un centro fundamental para el conocimiento de la historia de la pintura y de las artes. Se considera el Museo del Prado como la primera pinacoteca del mundo en pintura antigua. En años recientes, el interés de Madrid como centro de arte ha aumentado todavía con la adquisición de la colección Thyssen Bornemitza, situada en el precioso palacio de Villahermosa y con la creación del Centro de Arte Reina Sofía. Lo que en otro tiempo se denominó Salón del Prado, entre la Plaza de Neptuno y la Glorieta de Atocha contiene un riquísimo y puede decirse único tesoro del arte universal.

Al Museo del Prado se le llamó originalmente Museo de Pinturas. Fue creado en 1819 reuniendo las colecciones reales y se instaló en el edificio que Juan de Villanueva había construido en 1785 por encargo de Carlos III para destinarlo a Gabinete de Ciencias Naturales.

La pinacoteca cuenta con más de seis mil cuadros de los cuales apenas puede exponerse la mitad, guardándose el resto en almacenes o en depósitos temporales en otros edificios. La pintura española del siglo XIX y comienzos del XX se encuentra en un edificio independiente del Museo propiamente dicho, el Casón del Buen Retiro. Actualmente está en proyecto la ampliación del Prado al objeto de hacer posible la exhibición de sus fondos.

La visita al Prado es indispensable para el conocimiento de la pintura española. Allí está casi toda la obra de Velázquez y buena parte de la de Goya. Bien representados están El Greco, Murillo, Zurbarán, Ribera, Ribalta, Valdés Leal y otros. Pero también para conocer la pintura italiana es necesario venir al Prado. Fray Angélico, Botticelli, Mantegna, Andrea del Sarto, Rafael están allí representados. La mejor colección es la de pintura veneciana. El Tiziano tiene en el Prado mayor número de obras que las que pueden contemplarse en su país. Hay también extraordinarios lienzos del Tintoretto y del Veronés.

En el Prado están algunas de las más bellas obras de El Bosco y la pintura flamenca está representada además por algunos lienzos de Van der Weyden, entre ellos el soberbio *Descendimiento* así como por una extraordinaria colección de Rubens, el pintor que trabajó para la Corte Española. De los alemanes destacan Durero y Cranach; de los holandeses, Rembrandt; de los franceses, Watteau y Poussin y de los ingleses, Gainsborough o Reynolds.

Velázquez

El pintor Edouard Manet estuvo en Madrid en 1865 y quedó admirado al ver los cuadros de Velázquez en el Prado. «Oh, que lástima que no estés aquí, dice en una carta a su amigo Fantin-Latour, pues te hubiera encantado ver la obra de Velázquez, que por sí sola merece hacer el viaje. Los pintores de todas las escuelas que le rodean en el museo de Madrid y que están muy bien representados, parecen todos de segunda fila comparados con él. No sólo me impresionó sino que me maravilló. Velázquez deja chicos a todos los demás pintores.»

La extraordinaria colección Thyssen ha venido a completar el acerbo artístico de Madrid con pintores de escuelas que antes no estaban suficientemente representadas en la capital. Así ocurre con los primitivos flamencos, con los holandeses, con parte de la pintura italiana, con los impresionistas franceses, expresionistas alemanes o pintores americanos actuales. Es digna de tenerse en cuenta la restauración y adaptación del viejo palacio de Villahermosa que el arquitecto Rafael Moneo hizo para instalar el Museo Thyssen.

El Centro de Arte Reina Sofía acoge una de las más famosas obras de la pintura contemporánea: el *Guernica* de Pablo Picasso además de una buena colección de arte actual español. Está instalado en el antiguo Hospital General de San Carlos que mandó construir el tercer rey de este nombre a fines del siglo XVIII.

Pero la pintura tiene muchos otros focos de interés en Madrid. Hay que visitar el Museo de la Real Academia de Bellas Artes de San Fernando en el edificio que Churriguera levantó en 1710 en la calle de Alcalá, junto a la Puerto del Sol. Hay obras de Velázquez, El Greco, Murillo, Rubens y otros muchos pintores.

Es importante sobre todo para conocer bien a Zurbarán pues aquí se cuelgan algunos de los extraordinarios retratos de los monjes de blancas vestiduras que no están representados en el Prado. Hay también un delicioso Goya que representa la célebre procesión del Entierro de la Sardina. Y una excelente colección de pintura española del XIX y del XX, formada por obras de los pintores que ingresaron en la Academia.

Otro museo importante para la pintura es el que lleva el nombre de su fundador, don José Lázaro Galdiano, que cedió al Estado su casa y su colección de arte, muebles, relojes, armas, marfiles, orfebrería y otros objetos. El museo contiene un cuadro atribuido a Leonardo da Vinci y pinturas del Bosco, Cranach, Velázquez, El Greco, Murillo, Zurbarán o Goya. De algunos de estos mismos maestros pueden verse obras también en el Museo Cerralbo. Y hay igualmente una extraordinaria colección de pinturas en los monasterios de las Descalzas Reales y de La Encarnación. Finalmente hay que mencionar en esta incompleta lista de las pinacotecas de Madrid la preciosa ermita de San Antonio de la Florida. Lo notable de este pequeño templo y lo que hace de él una pieza única en la historia del arte es la decoración de la cúpula y las bóvedas con escenas de la vida del santo que Francisco de Goya realizó en 1798.

Merece la pena visitar también el Museo Arqueológico Nacional instalado en el mismo edificio de la Biblioteca Nacional, en cuyo jardín hay una reproducción a tamaño natural de la cueva de Altamira con sus famosas pinturas magdalenienses. Especial interés tienen las salas de Prehistoria. En la orilla del Manzanares se descubrió ya en el siglo pasado uno de los más interesantes yacimientos del Paleolítico de toda Europa y en el museo se conservan los testimonios del paso de los cazadores que, hace cuatrocientos mil años, venían a estos lugares siguiendo a los elefantes, rinocerontes y otros animales que entonces poblaban estas regiones.

La Dama de Elche

Especialmente importante es el Museo Arqueológico Nacional en lo que se refiere a la cultura ibérica. Allí se encuentran esculturas como la Dama de Elche, la Dama de Baza, la Dama Oferente del Cerro de los Santos o la Bicha de Balazote. También hay interesantes testimonios del arte visigótico como las coronas votivas de Guarrazar, así como del arte islámico, del gótico y del renacimiento.

Otro de los más importantes museos madrileños es el de América, compuesto por objetos y piezas de arte precolombinos así como materiales del tiempo de la conquisa y de las expediciones científicas de los siglos XVIII y XIX. Junto a la estela maya de Madrid, las piezas del tesoro de los Quimbayas o las colecciones de arte incaico, hay un valiosísimo códice que Hernán Cortés trajo de América y que es el más importante manuscrito maya que se conserva. Para los interesados en la historia de Madrid es recomendable visitar el Museo Municipal, instalado en la preciosa casa que Pedro de Ribera levantó para hospicio. Contiene, junto a muchos cuadros, algunos de ellos de Goya, objetos de orfebrería, porcelanas, y una maravillosa y muy detallada maqueta de Madrid que reproduce calle por calle y casa por casa la ciudad tal como era en 1830. Recientemente se ha fundado además un Museo de la Ciudad con piezas y documentos de gran interés.

Entre los museos científicos destaca el de Ciencias Naturales con antiguos fondos recogidos a comienzos del siglo XVIII por el coleccionista don Pedro Franco Dávila. Los objetos que él reunió sirvieron para formar, en tiempos de Carlos III, el Gabinete de Historia Natural y constituyen hoy una de las colecciones antiguas más importantes de la museología de Europa. Actualmente, el Museo de Ciencias Naturales ejerce una gran actividad didáctica con interesantes exposiciones sobre temas monográficos.

La Geología, la Farmacia, la Etnografía, la Astronomía, la Aeronáutica tienen en Madrid museos especializados. Hay también algunos museos temáticos interesantes, como el del Ferrocarril, primorosamente instalado en la antigua estación de Las Delicias. Para los interesados en la numismática, es de obligada visita el Museo de la Fábrica Nacional de Moneda y Timbre, con formidables colecciones de España y de todo el mundo.

No se agota aquí la lista de los museos madrileños. El Museo del Teatro, el Museo Postal, el Museo Penitenciario, el Policial o el de Bomberos. El Museo Naval ofrece una estupenda colección de modelos de navíos de distintas épocas así como de cartas de navegación entre las que destaca la de Juan de la Cosa, trazada en el año de 1500, el primer mapa en el que figura el Nuevo Continente.

La espada de Boabdil

Más que un museo es el de la Real Fábrica de Tapices, fundada por el rey Felipe V. Además de una interesante muestra de cartones y tapices antiguos, este museo ofrece la posibilidad de asistir al trabajo manual de los tejedores. En el Museo del Ejército hay una rica colección de armaduras, entre ellas las del Gran Capitán, así como de armas, destacando la espada del último rey de Granada, Boabdil. Están también el coche de caballos y el automóvil en que respectivamente viajaban los primeros ministros Prim y Dato cuando fueron asesinados en las calles de Madrid. La pistola con la que se suicidó Mariano José de Larra se encuentra en el Museo Romántico espléndidamente ambientado como una casa de la época y con una buena colección de pintura. Finalmente merece la pena visitar el Museo Taurino, situado en la Plaza Monumental de las Ventas. A este coso se le suele llamar «la cátedra del toreo», un título que a veces pretende disputarle la Real Maestranza de Sevilla. Triunfar en Madrid es lo que consagra a un matador de toros. Gracias a las Ventas, Madrid puede ser justamente llamada la capital mundial de la tauromaquia.

No solamente el arte, también la literatura ha hecho aquí historia. Hay que pensar que una buena parte de la literatura española ha sido escrita en Madrid o tiene a Madrid como escenario. Aquí surgió el gran teatro español del Siglo de Oro, mucho de la novela picaresca y de la poesía del Barroco. Aquí se imprimió la primera edición del Quijote, en un edificio de la calle de Atocha hoy convertido en museo. Especial interés para la historia literaria de Madrid tiene el barrio que lleva el antiguo nombre de Cantarranas. Allí vivieron Francisco de Quevedo y Luis de Góngora. Se conserva la casa de Lope de Vega y, se cree que, en el vecino convento de las Trinitarias, está enterrado Miguel de Cervantes. Una curiosidad urbana es que la calle donde está este convento lleva el nombre de Lope de Vega mientras la casa que perteneció al dramaturgo está en la calle de Cervantes.

Muy cerca de este lugar está una de las instituciones de más solera de la vida intelectual española, el Ateneo de Madrid, fundado en el primer tercio del siglo XIX. En este mismo barrio vivieron a lo largo del tiempo, muchos otros escritores, entre ellos don Benito Pérez Galdós a quien nadie disputa el título «el novelista de Madrid» porque la acción de muchas de sus obras transcurre en la capital.

Otro gran momento para la literatura y la cultura españolas es el comprendido en las décadas de los veinte y de los treinta de este siglo. Coinciden en esta época dos generaciones: la del noventa y ocho y la del veintisiete, muchos de cuyos componentes tuvieron a Madrid por centro. Esta época ha sido llamada con justicia «la Edad de Plata de la cultura española». Es interesante visitar, en el norte de Madrid, en la llamada Colina de los Chopos comprendida entre la Castellana y la calle de Serrano, la Residencia de Estudiantes, donde vivieron Federico García Lorca, Luis Buñuel, Salvador Dalí, Rafael Alberti y otros muchos intelectuales y artista de aquel período.

Aprendiz de río

Un tema predilecto de la literatura madrileña de todos los tiempos ha sido el río Manzanares. De no haber sido elegida Madrid como capital de las Españas, el «Manzanarillos» habría pasado por un río modelo de discreción. Pero cuando Felipe II mandó construir sobre él un inmenso puente, la llamada Puente Segoviana, obra de Juan de Herrera, el arquitecto de El Escorial, los ingenios de la Corte empezaron a burlarse del río. El puente era una obra necesaria teniendo en cuenta las crecidas que sobrevenían en años de lluvia, como la que describe Vicente Espinel en su *Vida del escudero*

Marcos de Obregón. En tales ocasiones, el vecindario se asomaba a contemplar el río en el paraje del Rastro donde están las calles que llevan los nombres de Mira el Río Alta y Mira el Río Baja. Las previsiones de Herrera, como luego las de Pedro de Ribera, que construyó el Puente de Toledo en el siglo XVIII, fueron tomadas a broma. «Arroyo aprendiz de río», calificó Quevedo al Manzanares y Castillo Solórzano le llamó «charco ambulante», mientras Lope de Vega aconsejaba a un corregidor de la Villa que «comprara un río o vendiera un puente».

Tirso de Molina le comparó con un estudiante que tenía vacaciones en verano. Góngora resumió su historia en un verso cruel: «Bebióme un asno y hoy me ha meado.»

Hoy es el Manzanares un río que ha sido canalizado y represado y que, purificadas sus aguas por un buen alcalde, cría peces y patos en sus aguas. En épocas clásicas pudo decirse que este modesto río era «un arroyo con mal de piedra». Para zaherir de paso a los taberneros, Quevedo satirizaba al Manzanares diciendo que cualquier cuartillo de vino traía en un jarro más agua que el río.

El rey Felipe II había acariciado la idea de comunicar Madrid con Lisboa a través de un canal navegable por el Manzanares, el Jarama y el Tajo. El proyecto que le presentó el ingeniero Antonelli fue abandonado y lo resucitaron un siglo más tarde los hermanos Grunenberg. El madrileñista Pedro de Répide afirma haber visto una curiosa estampa que representa al archiduque Carlos, pretendiente al Trono de España en la Guerra de Sucesión, desembarcando en el muelle del Manzanares a la altura del Campo del Moro. Al parecer hubo otro intento de canalización en el último cuarto del siglo XVIII, y las obras llegaron hasta Vaciamadrid. Sólo que, cuenta Répide, el día que se abrieron las compuertas se supo que el agua del Manzanares nunca llegaría al Jarama. Los ingenieros habían construido el canal cuesta arriba y lo que había de ser una vía de navegación se convirtió en charca maloliente.

A pesar de la humildad del río, sus orillas fueron siempre lugar de esparcimiento para los madrileños. El Conde Fulvio Testi, que visitó la ciudad en tiempos de Felipe IV, decía que el Manzanares «es pobre en agua pero riquísimo en mujeres». Vélez de Guevara, en su novela *El Diablo Cojuelo*, dice que «el Manzanares se llama río porque se ríe de los que van a bañarse a él» y añade que es «el más merendado y cenado de cuantos ríos hay en el mundo». En aquellos días y hasta nuestra época, las orillas del Manzanares estuvieron llenas de merenderos. El lugar preferido era la Florida, desde mucho antes que Goya pintara aquel paraje. Las bromas sobre el río continuaron en tiempos más modernos. Un cronista cuenta que, cuando Fernando VII iba a pasear en coche por el cauce del río, lo mandaba regar. Ventura de la Vega aseguraba que, cuando llovía, el Manzanares pedía paraguas. Los viajeros extranjeros se contagiaron de este espíritu burlesco. Alejandro Dumas ofreció al río el medio vaso de agua que él no se había bebido. Teophile Gautier aseguró que, durante su estancia en Madrid, había estado buscando el Manzanares y no lo había encontrado; y el licenciado Jerónimo de la Quintana, cronista de Madrid en el siglo XVII, cuenta que el embajador de Rodolfo II de Alemania, conde de Rehebiner, afirmó que el Manzanares era el mejor río del mundo por ser «navegable a caballo».

Río modesto, «líquida ironía» como lo calificó el filósofo Ortega, hay que convenir que el Manzanares trae a Madrid un gran caudal si no de agua, sí al menos de literatura.

La ciudad más verde

El modesto río y el seco paisaje que rodea Madrid no hacen suponer que la capital de España sea una de las ciudades del mundo con mayor número de parques y zonas verdes. Se diría que Madrid tiene vocación de oasis de la tierra mesetaria en que se encuentra. La tiene desde antiguo y la sigue teniendo. En años recientes se han construido nuevos parques en zonas donde antes no había ninguno. Es el caso del que lleva el nombre del recordado alcalde don Enrique Tierno Galván, donde se encuentra El Planetario, situado en el sureste de la ciudad. De más reciente creación es el parque Juan Carlos I, ligado a la operación urbanística del Campo de las Naciones que alberga la institución ferial de Madrid y el nuevo palacio de Congresos. El parque, que se encuentra a la salida de Madrid por la carretera de Aragón, ocupa un total de doscientas veinte hectáreas y está estructurado en torno a un centenario olivar, formando un anillo de avenidas y paseos, con un lago, varios estanques y una ría navegable. El parque tiene en su interior el llamado Jardín de las Tres Culturas, Vergel Judío, Estancia de las Delicias islámicas y el claustro de las Cantigas Cristiana. El conjunto del Parque de Juan Carlos I está adornado con una magnífica colección de esculturas de artistas contemporáneos.

Contiguo a este nuevo Parque Juan Carlos I hay un delicioso jardín llamado El Capricho de la Alameda de Osuna que mandó construir la duquesa de este nombre, doña María Josefa de Pimentel y Téllez Girón, en el siglo XVIII pero cuyos orígenes pueden remontarse al siglo XVI. Este «mi Versalles particular» como decía doña María Josefa contiene un palacio que fue restaurado en el siglo XIX, varios pabellones, un precioso templete circular dedicado al dios Baco, un gran estanque central con un canal navegable en barca y numerosas estatuas y fuentes. No se puede hacer mayor elogio de este neoclásico recinto que decir que responde a la perfección al nombre de El Capricho que le dio la duquesa.

Dentro del perímetro de la ciudad de Madrid está la inmensa finca del Patrimonio Nacional conocida por el Monte del Pardo. Fue lugar de caza predilecto de los reyes desde Enrique III, a fines del siglo XIV. A partir de esta fecha, el Real Sitio de El Pardo fue ensanchando sus límites hasta una extensión de veintisiete mil hectáreas pobladas de encinas, robles, enebros y también especies de ribera como chopos y fresnos en las orillas del río Manzanares que cruza la finca. Sólo algunas pequeñas extensiones del monte son accesibles y en su interior carece de carreteras o caminos. Abundan allí las especies de caza menor y mayor como liebres, perdices, palomas torcaces, jabalíes, gamos, ciervos y algunas especies de aves de las que apenas quedan ejemplares.

En 1405, Enrique IV mandó construir allí un pabellón real que el Emperador Carlos I convirtió más tarde en palacio y que, después de un incendio a comienzos del siglo XVII, fue reconstruido por el arquitecto Juan Gómez de Mora, siendo ampliado por Sabatini bajo el reinado de Carlos III.

En nuestra época, hasta 1976, el palacio de El Pardo estuvo cerrado al público por ser residencia del anterior jefe del Estado. Hay que anotar que durante la Guerra Civil fue sede de las Brigadas Internacionales. Actualmente el palacio se destina a residencia de jefes de Estado en visita a España. Una parte del palacio se ha convertido en museo.

Dentro del Sitio de El Pardo está la preciosa Casita del Príncipe, un edificio de una planta construido, como su homónimo de El Escorial, por Juan de Villanueva en 1785 por encargo del futuro rey Carlos IV. La fachada exterior es neoclásica pero su interior está barrocamente decorado con mármoles, dorados estucos, terciopelos y pinturas de Bayeu, Maella y Mengs.

También dentro del monte de El Pardo se encuentra el Palacio de La Zarzuela, actual residencia del Rey don Juan Carlos. Fue en su origen en el siglo XVII un pabellón de recreo donde se celebraban representaciones y conciertos. Posteriormente fue varias veces restaurado hasta quedar totalmente destruido durante la Guerra Civil. El palacete actual fue edificado en el estilo historicista propio de la posguerra. El nombre de La Zarzuela le viene del hecho de haberse representado allí la primera pieza de este género musical. En 1628 se puso en escena en aquel lugar la obra *El jardín de Falerina*, con libreto de don Pedro Calderón de la Barca y música de Juan Risco. Cerca del Palacio de El Pardo vale la pena visitar el Convento de Nuestra Señora de los Ángeles, más popularmente llamado Santo Cristo de El Pardo. El altar mayor está decorado por Francisco de Rizzi y en una capilla lateral se encuentra un Cristo yacente del gran imaginero Gregorio Fernández.

La Casa de Campo

El más popular de los parques de Madrid es la Casa de Campo, una finca de mil setecientas hectáreas situada en el sector noroeste de la ciudad y cuyos atractivos hacen de él el lugar más codiciado por los madrileños para sus paseos y meriendas en los días de fiesta.

Fue el rey Felipe II quien, con la idea de dotar al Alcázar de un bosque para la práctica de la caza, compró la Casa de Campo a la familia de los Vargas. Fernando VI y Carlos III adquirieron nuevos terrenos para aumentar su extensión. Los reyes de la dinastía de los Austrias mantuvieron la finca para la práctica cinegética mientras que los Borbones la convirtieron en escenario de fiestas cortesanas. La Casa de Campo perteneció al Patrimonio de la Corona hasta el 20 de abril de 1931 cuando una ley de la República convertía la finca en parque para «el recreo e instrucción de los madrileños». Modernamente se ha instalado allí el Zoo de Madrid, el Parque de Atracciones, el telesférico de Rosales, piscinas municipales y complejos deportivos. En días festivos, la Casa de Campo llega a registrar medio millón de visitantes. Aunque se ha prohibido el acceso de los automóviles a muchas zonas de bosque de pinos y encinas, la finca soporta una circulación rodada muy intensa. Crece en la opinión pública la demanda de que se prohíba el tráfico en esta maravillosa finca que·es el verdadero pulmón de Madrid.

También en la zona oeste de Madrid están los preciosos jardines del Palacio Real. Los más próximos a la Plaza de Oriente llevan el nombre del arquitecto de Carlos III, Francesco Sabatini, que construyó las caballerizas reales en el lugar que ahora ocupa el jardín. Abiertos al público están los bellísimos jardines del Campo del Moro, construidos en la pronunciada pendiente que desciende hasta el Paseo de la Virgen del Puerto. Desde ellos se obtiene la mejor perspectiva del Palacio Real.

Bajo los Paseos de Rosales y Moret está el Parque del Oeste, que un alcalde de principios de siglo mandó construir aprovechando el espacio que ocupaba un vertedero. Durante la Guerra Civil el parque fue línea de frente y en él se abrieron trincheras y se construyeron bunkers de los que aún quedan vestigios en su extremo norte. Las bombas y los incendios causaron una total destrucción. Los jardines se reconstruyeron durante la década de los cuarenta. Se creó en el parque la Rosaleda donde se celebra anualmente un concurso internacional de rosas nuevas. Ya en el año setenta se abrieron los Jardines del Templo de Debod, en la Montaña del Príncipe Pío en el extremo sur del Parque del Oeste. Se emplazó allí un pequeño templo egipcio donado a Madrid por el gobierno de aquel país en reconocimiento a la colaboración de los arqueólogos españoles en el rescate de los monumentos del Valle del Nilo que habían de quedar bajo las aguas de la recién construida presa de Assuan. El templo, del siglo IV a. de C. está dedicado al dios Amón y contiene bajorrelieves con escenas del faraón y de las divinidades. Los arquitectos paisajistas critican con justicia el hecho de que los jardines de este lugar no tienen suficientemente en cuenta la singularidad de que haya un templo egipcio en el corazón de Madrid.

En el sector norte de la ciudad hay otro gran parque, de más de setenta hectáreas, que sirve de pulmón a la zona residencial de Puerta de Hierro. Conocido por la Dehesa de la Villa, fue también lugar de cacerías reales desde la Edad Media y sus extensos pinares ofrecen agradables parajes para el recreo de los madrileños.

La mejor fuente

Se llama en ocasiones «Parque del Este» lo que se conoce con el nombre más común de Parque de la Fuente del Berro. La mayoría de las zonas verdes antiguas de Madrid se sitúan en el oeste de la ciudad. La Fuente del Berro es la excepción. Se trata de un bello jardín que fue en la primera mitad del siglo XVII una quinta propiedad del duque de Frías, situada junto al Arroyo del Abroñigal, sobre el cual se ha trazado la actual carretera de circunvalación M-30. En 1630, el duque de Frías, Condestable de Castilla traspasó esta posesión al rey Felipe IV, quien alojó en la quinta a los monjes castellanos del Monasterio de Montserrat que habían sido expulsados del Principado de Cataluña. En época de Carlos III se conoció con el nombre de Fuente del Rey y, posteriormente, pasó a manos privadas, aunque la fuente propiamente dicha seguía siendo mantenida por el Real Patrimonio. El agua de esta fuente era considerada, en las primeras décadas del siglo XIX, como la de mayor calidad de Madrid. Los aguadores, que entonces estaban en auge, la vendían al público en cántaros y vasijas en los lugares de recreo o la distribuían a domicilio en las casas de vecindad.

El Ayuntamiento de Madrid adquirió la finca de la Fuente del Berro en 1948, aunque la apertura de los jardines al público no tuvo lugar hasta 1954. El conjunto de los jardines de la Fuente del Berro, de unos ochenta mil metros cuadrados de extensión, se amplió con la creación del contiguo parque Sancho Dávila, inaugurado en 1968. Junto al parque de la Fuente del Berro está la Colonia Iturbe, uno de los pocos conjuntos tradicionales de viviendas unifamiliares que se conservan en Madrid. En el interior del parque hay un palacete que actualmente alberga el Museo del Instituto Arqueológico Municipal. A pesar de estar situado este parque al borde de la sobrecargada M-30, la espesura del arbolado y del follaje, las estatuas que, como la del poeta Alexander Pushkin lo adornan y la presencia de pavos reales le dan un ambiente romántico.

El escritor Pedro de Répide decía que el parque del Retiro era «un magnífico bosque ciudadano, recreo para la infancia, deleite para los grandes, salud para todos, cobijo de enamorados, refugio de solitarios y recinto delicioso siempre, bienhechor de la materia y del espíritu». La descripción sigue siendo en esencia exacta, aun cuando, si Répide la hubiese hecho ahora, habría tenido que añadir los espectáculos que, para diversión de grandes y chicos se organizan allí en los días festivos o bien los conciertos de la Banda Municipal y algunas ferias y exposiciones que, como la de los libros, se celebran en el parque en la primavera.

El origen del Real Sitio del Buen Retiro se remonta al siglo XVI, cuando el Emperador Carlos mandó construir en las proximidades del monasterio de los Jerónimos, un Cuarto Real donde se retiraban los reyes durante la Cuaresma, la Semana Santa o con ocasión de algún luto. Este cuarto fue ampliado por Felipe IV hasta convertirlo en un palacio que quedó casi totalmente destruido con motivo de la invasión napoleónica, cuando el general Murat instaló su cuartel general en el Real Sitio. Del palacio sólo ha quedado el Salón de Reinos, actualmente Museo del Ejército y el llamado Casón que hoy forma parte del Museo del Prado y que estaba destinado a salón de baile.

Caprichos del Buen Retiro

Después de la «francesada», la posesión real, tanto la parte construida como los jardines, debió de quedar en tal estado de ruina que una guía de Madrid de 1815 habla de ella como si se tratara sólo de un recuerdo histórico. El rey Fernando VII emprendió la restauración del parque. Siendo muy escasos sus recursos, se vio obligado a arrendar parte de la posesión y, según se dice, tuvo que recurrir a vender la leña de las podas y el hielo de los estanques para obtener fondos. Una vez restaurados los jardines y siguiendo el precedente de Carlos III, mandó abrir al público una buena parte de su superficie. Se construyeron entonces estanques, fuentes, invernaderos y grupos escultóricos, así como una serie de pequeñas edificaciones recreativas denominadas «caprichos». De estos caprichos del rey quedan los que llevan los nombres de Casita del Pescador, Casa del Contrabandista, o la Montaña Artificial, más comúnmente llamada la Colina de los Gatos. También mandó construir un pequeño zoológico que sería conocido por Casa de Fieras. Mientras que el rey Fernando se ocupó de embellecer sobre todo la parte del Retiro reservada a la familia real, su hija Isabel II se dedicó al ornato de la parte pública.

A partir del año 1868, a raíz de la Revolución de Septiembre, «La Gloriosa», el Buen Retiro dejó de pertenecer a la Corona y pasó a ser propiedad del municipio de la capital, recibiendo el nombre de Parque de Madrid que, sin embargo, no ha sustituido a la denominación tradicional. Cerca de la Montaña Artificial se instaló a finales de siglo la ruina de una ermita románica construida a comienzos del siglo XIII extramuros de la ciudad de Ávila y dedicado a San Pelayo y San Isidro. Un filántropo la compró y la donó al Municipio de Madrid.

En el Estanque Grande del Retiro se habían celebrado ya en el Siglo de Oro batallas navales o naumaquias para entretenimiento de la Corte. «Remar en el Retiro» sigue siendo hasta hoy un entretenimiento predilecto para muchos madrileños. En uno de los lados del estanque está el espléndido monumento a Alfonso XII, obra del arquitecto catalán

José Grases y Riera, inaugurado en 1922 y en el que trabajaron los mejores escultores de la época como Benlliure, Querol, Blay, Marinas, Inurria, Clará. A estos y otros escultores se deben las numerosas estatuas que, situadas en todo el recinto del parque, recuerdan a escritores como Pérez Galdós, Valera, Campoamor, Benavente o Baroja; a músicos como Ruperto Chapí o a políticos como el general Martínez Campos entre otros. Una de las más originales esculturas del Retiro es la de El Ángel Caído, obra de Ricardo Bellver que, además de su valor artístico, tiene el mérito de haber hecho de Madrid la única ciudad del mundo que ha levantado un monumento al demonio.

El Retiro es un lugar de deliciosos paseos para ver el Parterre, la Avenida de las Estatuas, el Palacio de Velázquez, obra del arquitecto de este apellido; el Palacio de Cristal, del mismo autor, situado ante un pequeño lago artificial con cisnes, o bien La Rosaleda y los Jardines de Cecilio Rodríguez. Sobre el Cerrillo de San Blas, en el extremo sur del Retiro se alza el Observatorio Astronómico, una verdadera joya de la arquitectura neoclásica, obra de Juan de Villanueva, que fue construida en 1790 por encargo del rey Carlos III. Hoy es un museo dedicado a los antiguos instrumentos relacionados con la astronomía y la meteorología.

El primer jardín botánico que hubo en España fue creado a mediados del siglo XVI por Felipe II junto al primitivo palacio de Aranjuez. En el siglo XVIII, Fernando VI, decidió la construcción de otro jardín de plantas en el Soto de Migas Calientes, a orillas del Manzanares. Su hermano y sucesor, Carlos III, dispuso el traslado de las especies allí reunidas a las que entonces se llamaban Huertas del Pardo Viejo, el actual emplazamiento del Jardín Botánico.

Este jardín formaba parte en realidad del contiguo Gabinete de Ciencias Naturales, actual Museo del Prado. Tanto el gabinete como el jardín fueron proyectados por el arquitecto neoclásico Juan de Villanueva y por el botánico Gómez Ortega, dentro del plan que el monarca ilustrado tenía de dedicar esta parte de Madrid al estudio de las Ciencias Naturales. El terreno desnivelado de la huerta fue dividido en tres terrazas ajardinadas en lo alto de las cuales construyó Villanueva el edificio del invernadero, la Cátedra de Botánica y un herbario en el que se reunieron unos quince mil pliegos. La creación de la cátedra, de la que fueron titulares Gómez Ortega y Cavanilles, dio lugar a que se organizaran expediciones científicas a todo el mundo, especialmente a América y Filipinas. Una de las más famosas fue la del botánico Mutis, en 1786, que volvió a España con semillas de plantas desconocidas en Europa. A comienzos del siglo XIX se exportaban desde aquí semillas de plantas exóticas destinadas a los jardines públicos de las ciudades europeas. Se creó también la magnífica biblioteca que contiene entre otros tesoros las seis mil láminas que trajo consigo la expedición Mutis al Reino de Nueva Granada. Además de la gran variedad de plantas que se cultivan en las terrazas del jardín, deben visitarse los invernaderos con sus especies tropicales.

El Salón del Prado

El Paseo del Prado, que va desde la Plaza de la Cibeles hasta la de Atocha, estaba unido en el pasado con el Real Sitio del Buen Retiro. En el siglo XVIII, Ventura Rodríguez diseñó las tres preciosas fuentes que adornan el paseo: la de la diosa Cibeles, la de Apolo y la de Neptuno. Desde antiguo, el llamado Salón del Prado, fue el lugar de reunión de los elegantes. Hay numerosas referencias a este lugar en la literatura del Siglo de Oro y los viajeros europeos que visitaron Madrid a lo largo del siglo XIX describen con minuciosidad este lugar de reunión a la vez popular y cortesano.

En su *Voyage en Espagne*, Teófilo Gautier hace grandes elogios del paseo diciendo que: «La vista del Prado es una de las más animadas que pueden contemplarse. Se trata de uno de los paseos más bellos del mundo, no por su emplazamiento, que es de los más ordinarios a pesar de los denodados esfuerzos de Carlos III por corregir los defectos, sino por la sorprendente afluencia que registra a diario, desde las siete y media de la tarde hasta las diez de la noche.»

El escritor francés, que estuvo en España hacia 1840, describe así el llamado Salón del Prado: «El paseo comienza en el convento de Atocha, pasa frente a la puerta que lleva ese nombre y termina en la puerta de Recoletos.

Pero las gentes de la buena sociedad se dan cita únicamente en el espacio limitado por la fuente de la Cibeles y de Neptuno. Allí se sitúa el gran espacio llamado Salón, bordeado de sillas como en la gran avenida de las Tullerías. Junto al Salón se encuentra la calle llamada de París, el punto de reunión de moda en Madrid. Y como la imaginación de las gentes que siguen esa moda no brilla precisamente por su pintoresquismo, han elegido el lugar más polvoriento, menos sombreado y más incómodo de todo el paseo. En este estrecho espacio limitado por el Salón y la calzada de los vehículos, se agolpa tal gentío que a menudo es difícil llevarse la mano al bolsillo para sacar el pañuelo. [...] La única razón que puede haber llevado a escoger este lugar es que desde él se puede ver y saludar a los que pasan en calesa por la calzada (para un peatón siempre es honorable saludar a un vehículo).»

Lo que en otro tiempo se llamó Salón del Prado es hoy un paseo vacío sin más ruido que el que hacen los coches subiendo o bajando entre Neptuno y Cibeles. Ya no se va allí para ver y ser visto. Y se puede decir que en Madrid no hay ahora un salón único sino numerosos salones en calles y plazas.

Madrid es una ciudad muy poco casera, es una ciudad que está todo el día en la calle. Estudios hechos en varias ciudades europeas sugieren que Madrid es una de las más ruidosas. Uno de los lugares de mayor bullicio es el Rastro los domingos por la mañana. Este lugar, que se ha hecho célebre en todo el mundo y que aparece en todas las guías internacionales, es mucho más que un mercado. Es un tema literario que reúne toda una antología de versos y prosas que van desde Francisco de Quevedo hasta los escritores de hoy, pasando por Mesoneros Romanos, Pío Baroja, Azorín o Ramón Gómez de la Serna.

No se limita sin embargo el Rastro a ser un mercado y una antología literaria sino que es además una costumbre, una costumbre de Madrid. Se va al Rastro el domingo por la mañana aunque no se tenga nada que comprar.

La palabra rastro significaba en el pasado el territorio de fuera de la ciudad al que se extendía la jurisdicción de su alcalde de Corte. Así, se decía que el alcalde ejerció su autoridad «en la Villa y en las cinco leguas de su rastro».

En época de los Reyes Católicos, en el Rastro madrileño estaba situado el matadero de reses. Así, la palabra rastro vino a significar también matadero y alrededor de él se instalaron las tenerías o fábricas de curtidos. El nombre de la calle principal del mercado del Rastro, Ribera de Curtidores, lo demuestra sin lugar a dudas. Es posible que el matadero se transformara en mercado de curtidos y que acudieran a él posteriormente otros artesanos y buhoneros hasta convertir el Rastro en un mercado de lance.

El Rastro ha sufrido una gran transformación en los últimos años. Se ha ampliado considerablemente, desbordando el primitivo recinto y hoy se ven puestos en la calle del Duque de Alba y en la Ronda de Toledo. A primera hora de la mañana del domingo llegan camiones y furgonetas con toda clase de mercancías. Hoy no se va al Rastro sólo a comprar cosas viejas sino toda clase de objetos, muchos de los cuales son más propios de un mercado de abastos o de una «gran venta del duro» que de un zoco de antigüedades y deshechos urbanos. No solían abundar en el Rastro los vendedores jóvenes pero hoy se encuentran allí muchachos y muchachas de todos los países vendiendo sus especialidades.

Queda sin embargo lo que podríamos llamar un rastro-rastro, en las calles que están a la derecha de la Ribera de Curtidores. Allí puede encontrarse esa variedad de objetos aparentemente inservibles que parecen estar pidiendo una posibilidad de regeneración. Hay puestos en los que se amontonan clavos viejos, bolitas de cristal, enchufes rotos, restos de navajas, abanicos desgarrados, gafas de monjas, algún marco alabeado y un cuadro medio roto de la «Sagrada Cena». Los compradores se inclinan sobre aquel revoltijo buscando algo que les falta, una hebilla oxidada para el cinturón, un cristal para unas gafas de sol, un pedazo de cable, un mango de cuchillo.

Los escritores se ocuparon siempre de este «territorio de desguaces» al que se llama «lonja de lo inservible» o «purgatorio de las cosas». Ramón Gómez de la Serna dedicó al Rastro uno de sus mejores libros y Francisco Umbral asegura que siempre ha visto Madrid «entre el Prado y el Rastro» Madrid no tiene, dice, más opciones que éstas: «Organizarse en Museo del Prado o desorganizarse en Rastro. El Rastro es un Prado al revés. Esto quiere decir que

Madrid selecciona por arriba lo que tiene o consigue de mejor, cuadros y reyes, y echa al basurero del Rastro lo que tiene de peor o así lo cree: despojos coloniales, moblajes venidos a menos, uniformes sin un embajador dentro.»

El Entierro de la Sardina

En el barrio del Rastro se ha mantenido viva desde tiempos inmemoriales hasta hoy la tradición carnavalesca que se conoce con el nombre de El Entierro de la Sardina. En el Museo de la Academia de Bellas Artes de San Fernando hay un precioso cuadro de Goya que representa con vigorosos y desgarrados trazos esta popular procesión. José Gutiérrez Solana pintor y escritor de la «España trágica» dejó constancia en sus obras de esta extraña fiesta.

La tradición del Entierro de la Sardina no es privativa de Madrid. Se celebra en otras ciudades y pueblos de España. Pero en Madrid se toman a broma la fúnebre procesión. En el programa que todos los años edita la Cofradía del Rastro dice textualmente: «Como es tradicional, todo los años nos invade la congoja y desazón por la muerte de nuestra querida sardina, que será enterrada, si el llanto no nos lo impide, el próximo día Miércoles de Ceniza.» Algún comerciante del Rastro cierra ese día su tienda y pone en su escaparate el cartel de: «Cerrado por defunción.»

Los cofrades, hombres y mujeres, visten la capa madrileña y la chistera. Salen en procesión desde la Puerta Cerrada llevando el estandarte con la cara burlona del Carnaval que es reproducción del que aparece en el cuadro de Goya. La sardina que va a enterrarse es un arenque vestido de tul que va dentro de un ataúd pintado por un artista con motivos tradicionales. Después de celebrar el banquete fúnebre en uno de los restaurantes del barrio, la Cofradía se dirige hacia la Casa de Campo para el enterramiento. Pero la comitiva se detiene en los bares que encuentra en su camino y que denomina «estaciones de penitencia».

Hay varias interpretaciones respecto al origen de esta fiesta. Don Julio Caro Baroja relaciona la tradición del entierro con la muerte del Carnaval a la llegada de la Cuaresma. Hay autores que encuentran muy extraño que, al empezar la época del año en que no se puede comer carne, se entierre a un pescado. Otros contestan que se daba el nombre de sardina a la canal de cerdo. En Madrid se atribuye el origen de la fiesta a un episodio sucedido en tiempos de Carlos III. Un noble mandó traer sardinas del Cantábrico para obsequiar a sus invitados. Debido al largo viaje desde Santander, las sardinas se pudrieron y el pueblo de Madrid decidió ir a enterrarlas en las inmediaciones del río Manzanares haciendo de la procesión una alegre fiesta.

En el Madrid actual no se puede hablar ya, como en el pasado, de un centro único. La ciudad se ha ido desplazando de oeste a este. En época de los Austrias, el centro, que antes había estado en las Vistillas y el barrio árabe, se desplazó a la Plaza Mayor y, más tarde a la Puerta del Sol. Con los Borbones, la Cibeles y el Paseo del Prado cobraron el carácter de lugares céntricos y, en el siglo XIX, las familias burguesas que vivían en la ciudad vieja, se trasladaron al barrio de Salamanca. Modernamente, ha surgido otro centro en la parte alta de la Castellana.

La Puerta del Sol

Muchos son los centros de Madrid pero la plaza central de la ciudad sigue siendo la Puerta del Sol. El escritor italiano Edmundo de Amicis, que estuvo en Madrid en 1870, describía así este lugar: «Durante los primeros días me resultaba casi imposible apartarme de la Puerta del Sol. Pasaba allí horas enteras, tan entretenido que me habría gustado quedarme allí todo el día. Es una plaza de merecida fama, no tanto por su tamaño y hermosura cuanto por la gente, el bullicio y la variedad de espectáculos que ofrece a cualquier hora del día. [...] Allí se reunen los comerciantes, los demagogos desocupados, los chupatintas sin empleo, los ancianos jubilados y los jóvenes lechuguinos; allí se trafica, se habla de política, se corteja, se pasea, se leen los diarios, se persigue a los deudores, se busca a los amigos, se preparan manifestaciones contra el ministerio, se elaboran los bulos que circulan por toda España y se tejen los chismes escandalosos de la ciudad.»

En la Puerta del Sol estuvo el convento de San Felipe el Real, en el lugar donde la Calle Mayor confluye con la Puerta del Sol. En las escalinatas de San Felipe estaba el famoso «mentidero de la Villa» al que según se decía, llegaban las noticias antes de que se produjeran los hechos que las motivaban.

En su origen, en el siglo XV, la Puerta del Sol era un baluarte defensivo que limitaba la ciudad por el lado este. Se construyeron a partir de entonces diversos edificios como el ya mencionado convento de San Felipe o la iglesia de Nuestra Señora de las Victorias. El rey José Bonaparte quiso reformarla concibiendo un proyecto, que se realizó casi medio siglo más tarde, para la demolición de las antiguas edificaciones. En el siglo XVIII se edificó la Casa de Correos, que posteriormente fue Ministerio de la Gobernación y Dirección de Seguridad del Estado y actualmente es la Sede de la Presidencia de la Comunidad de Madrid. El edificio está rematado por una torreta en la que se instaló el reloj donado a la Villa por José Rodríguez Losada, un relojero que, habiendo conspirado contra Fernando VII, tuvo que huir a Londres e instaló su taller en Regent Street, llegando a ser uno de los principales fabricantes de relojes de su tiempo.

En la Puerta del Sol se registran algunos de los más importantes acontecimientos de la historia de Madrid y de España. Allí tuvo lugar por ejemplo el triunfal recibimiento tributado a Ana de Austria, cuarta esposa de Felipe II. Allí se reunieron en 1766 los organizadores del famoso Motín de Esquilache. Fue también en la Puerta del Sol donde, el 2 de mayo de 1808, el pueblo de Madrid se alzó contra las tropas de Napoleón en una revuelta que Goya inmortalizó en su cuadro *La carga de los mamelucos*.

Aquí se organizaron fiestas, se tributaron grandes recepciones y se iniciaron revueltas populares. Los cafés de la Puerta del Sol sirvieron de lugar de conspiración pero también de grandes tertulias literarias. En esta plaza, mientras contemplaba el escaparate de la librería de San Martín, cayó asesinado Canalejas, entonces Presidente del Consejo de Ministros, el 12 de noviembre de 1912. Y en esta plaza tuvo lugar la proclamación popular de la II República, el 14 de abril de 1931.

Siempre que entre los españoles se habla de Madrid se tiende a elogiar sobre todo su «ambiente». No se puede decir con exactitud lo que es el «ambiente» pero no cabe duda de que es algo que está en la calle, una forma especial de bullicio urbano que no se da en otras ciudades. Los viajeros suelen coincidir en la apreciación de que Madrid es una ciudad femenina, dominada por la presencia de las mujeres en las calles. Un viajero escocés del siglo XIX, Henry D. Inglis, anotaba ya en su diario «el gran número de mujeres que conforman la multitud callejera» y decía que tenía la impresión de que «las mujeres de Madrid no tienen nada que las retenga en casa; las damas, a diferencia de las de Londres, no hacen labores domésticas y la mayoría de las burguesas no se ocupan de sus tiendas, como lo hacen las de París, de modo que la calle es su único recurso contra el aburrimiento». No se podría decir exactamente lo mismo que decía Inglis del Madrid actual, pero sigue siendo cierto que las calles de Madrid están llenas de mujeres a todas horas del día. A diferencia de Lisboa, donde hasta hace relativamente poco tiempo, las mujeres no entraban en los bares y cafés, reservados a los hombres, las cafeterías de Madrid son desde hace tiempo lugar de encuentro de las mujeres. Quizá han pasado a la historia las interminables meriendas de las señoras en Molinero, La India o California, pero siguen existiendo reuniones y tertulias de amigas en establecimientos de la Gran Vía, de la calle de Goya o de la calle de Serrano. Aún se ve, en el verano, en las terrazas de los cafés, a las mujeres abanicándose. En el siglo XIX, el abanico solía ser un instrumento imprescindible no sólo para combatir el calor sino también como complemento de la indumentaria. Y también como «código de señales» del lenguaje amoroso.

Una de las cosas que más impresionó a Teófilo Gautier en su visita a Madrid era la forma que las españolas tenían de manejar el abanico: «Aún no he visto en este bienaventurado país una sola mujer sin abanico: He visto algunas con zapatos de satén sin medias pero que llevaban abanico. El abanico las acompaña a todas partes, incluso a la iglesia, donde uno encuentra grupos de mujeres de todas las edades, arrodilladas o sentadas sobre sus talones, desgranando las señales de la cruz españolas que son mucho más complicadas que las nuestras, y que ellas ejecutan con una rapidez y precisión dignas de soldados prusianos. El arte de manejar un abanico es totalmente desconocido en Francia. Las españolas son verdaderas maestras: el abanico se abre, se cierra y se mueve entre sus dedos con una vivacidad y ligereza tales que un prestidigitador no podría hacerlo mejor. [...] Los abanicos al cerrarse y plegarse, producen un silbido que, repetido más de mil veces por minuto, alza su nota a través del confuso rumor que flota sobre el Salón del Prado y posee algo extraño que sorprende a un oído francés.»

Comer y cenar fuera

Habrá pocas ciudades en Europa donde esté tan arraigada como en Madrid la costumbre de comer y cenar fuera de casa. Se suele decir que, aquí, el establecimiento de hostelería es el único negocio que no falla nunca. Las comidas suelen dedicarse a la política o a los negocios y, siguiendo las nuevas modas se les suele llamar comidas de trabajo aunque se sospecha que su verdadero objetivo está más en comer que en trabajar. Las cenas se reservan a la amistad.

La variedad de la gastronomía madrileña es impresionante. Se pueden probar aquí prácticamente todas las especialidades del mundo y, junto al restaurante de lujo, hay excelentes tascas de estilo madrileño con mostrador de cinc, mesas de mármol, bancos corridos y decoración de azulejos. No pocos de estos establecimientos son de tradición centenaria. Entre los restaurantes, «Botín» tiene sus orígenes en el siglo XVII mientras que «Lhardy» fue fundado por el suizo Emil Huguenin en la tercera década del pasado siglo.

Madrid ha perdido en cambio muchos de sus antiguos cafés que pasaron a la historia literaria de la ciudad porque fueron sede de notables tertulias. Como café literario queda sobre todo el «Gijón», que ha cumplido con crecen los cien años, en el Paseo de Recoletos. En torno a sus veladores se siguen reuniendo escritores, artistas y gentes de teatro y de cine que mantienen viva la secular institución de la tertulia. En verano, la forma más agradable de pasar una velada es sentarse en algunas de las infinitas terrazas que invaden las plazas y las calles de Madrid. Hay algunas conocidas desde siempre y muchas otras que aparecen como por ensalmo en la ciudad apenas despunta el verano. Ya los viajeros antiguos elogiaban la calidad de las bebidas veraniegas. Uno de ellos, hablando del café con leche merengada, lo que llamamos «blanco y negro», dice que esta deliciosa bebida «permite que mientras el cuerpo hierve en la zona tórrida, el paladar se regodee con las nieves y hielos de Groenlandia».

Madrid es, en los fines de semana de todo el año, una ciudad de intensa vida nocturna. Es de las pocas ciudades donde pueden producirse atascos de tráfico después de la media noche. Lo que en los años ochenta fue conocido en todo el mundo con el nombre de la «movida madrileña» tuvo en gran parte la noche como escenario. A diferencia de lo que sucede en otras ciudades, no existe aquí un lugar único en torno al cual gire exclusivamente la vida nocturna. Hay muchos y variados sitios que permanecen abiertos de noche en todos los barrios del centro de la ciudad.

Madrid tiene una arraigada tradición de verbena y fiesta nocturna. Una de las más famosas obras del género lírico madrileño, la Zarzuela, lleva precisamente por nombre *La Verbena de la Paloma*. Aún se celebran ésta y otras verbenas en los barrios de la ciudad a lo largo del año. Pero, incluso cuando no hay fiesta alguna que celebrar, y especialmente en el verano, los madrileños son trasnochadores. Un gran conocedor de Madrid, el novelista Ernest Hemingway, escribía, por ejemplo:

«Cuando os preguntan en el café cómo habéis dormido y contestáis que con ese calor del diablo no habéis podido pegar ojo hasta la madrugada, os dicen que ése es el momento más apropiado para dormirse.»

«Poco antes del alba, en efecto, –precisa el escritor americano– desciende un poco la temperatura y ése es el momento en que un hombre decente debe irse a la cama. Por grande que sea el calor de la noche, siempre refresca en esos momentos. Además, en las noches demasiado calurosas, podéis ir a la Bombilla, sentaros, beber sidra y bailar; y hace siempre fresco cuando se acaba el baile, bajo el follaje de las largas avenidas de árboles bañadas por la humedad que asciende del pequeño río. En las noches frías, podéis beber un buen copazo de coñac y largaros a la cama.»

Hemingway parece querer establecer una ley cuando les dice a sus lectores que quieran viajar a Madrid: «Irse a dormir temprano en esta ciudad es como querer sentar plaza de persona extravagante; y, si lo hacéis, vuestros amigos se sentirán molestos por algún tiempo con vosotros.»

Exagera un poco el novelista en el siguiente párrafo pero capta muy bien la resistencia que los madrileños suelen poner a interrumpir las reuniones nocturnas para irse a casa: «Nadie se va a la cama en Madrid antes de haber matado la noche. Por lo general, se cita a un amigo poco después de la media noche en el café. En ninguna de las otras ciudades en que yo he vivido se va con menos ganas a la cama con el propósito de dormir.»

Medio siglo después de que se escribieran estas líneas, Madrid es una ciudad trasnochadora que madruga o madrugadora que trasnocha. Va mucho esta contradicción con la personalidad de la ciudad que, en múltiples aspectos, permite que cualquier afirmación que sobre ella se haga sea tan cierta como su contraria. Una ciudad, en suma, vieja y nueva, moderna y antigua, a la última moda y de toda la vida.

Página anterior: Puerta del Sol.
Limpiabotas en la Puerta del Sol.

Previous page: Puerta del Sol.
Bootblack in the Puerta del Sol.

Kilómetro 0 de todos los caminos de España, en la Puerta del Sol.

The starting point for all the roads in Spain, at the Puerta del Sol.

Vista aérea de la M-30.

Bird's-eye view of the M-30.

Plaza de Castilla y torres KIO.
Páginas siguientes: Plaza de Castilla, edificio Picasso y manzana de Azca.

Plaza de Castilla and the KIO Towers.
Following pages: Plaza de Castilla, Picasso Building and Azca Block.

Páginas anteriores: Palacio de Cristal, obra de Ricardo Velázquez, en el Parque del Retiro.
Vista del estanque.

Previous pages: Palacio de Cristal, the work of Ricardo Velázquez, in the Parque del Retiro.
View of the lake.

Catedral de La Almudena y el Palacio Real.

Cathedral of La Almudena and the Palacio Real.

«Torrespaña» de TVE, bautizada popularmente como «el Pirulí».

Spanish Television's "Torrespaña", popularly know as "The Lollipop".

Plaza de Cibeles.

Plaza de Cibeles.

La diosa Cibeles, símbolo de Madrid.

The goddess Cybele, the symbol of Madrid.

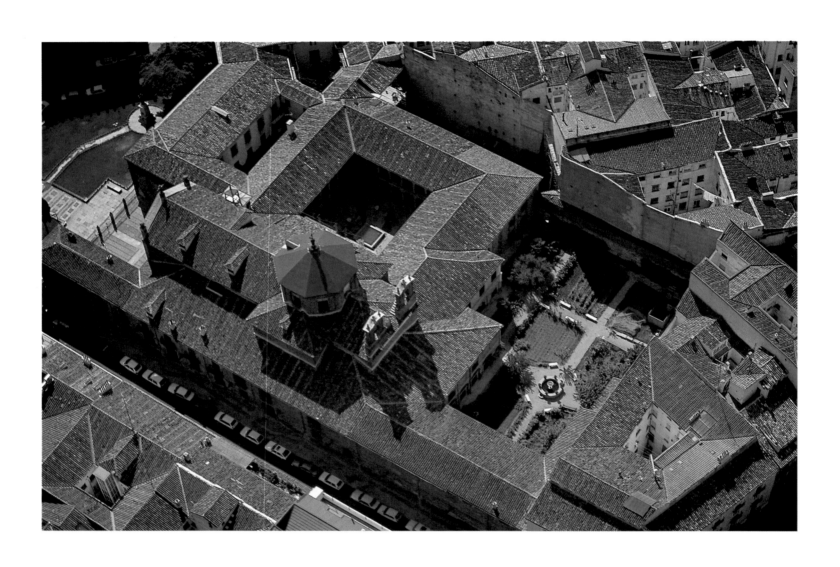

Convento de La Encarnación. Vista aérea.

Convent of La Encarnación. Bird's-eye view.

Puente de Segovia, de Juan de Herrera, sobre un Manzanares repoblado de patos.
Páginas siguientes: el Madrid antiguo con la plaza Mayor.

Puente de Segovia, by Juan de Herrera, over a Manzanares repopulated with ducks.
Following pages: old Madrid with the Plaza Mayor

Un aspecto nocturno de la concurrida plaza Mayor.

Night-time view of the busy Plaza Mayor.

Las típicas tascas de ambiente taurino.

Typical "tascas" with their bullfighting atmosphere.

Cerámicas de Alfonso Romero (1928) en el callejón de Álvarez Gato.

Ceramics by Alfonso Romero (1928) in Callejón de Álvarez Gato.

Los mesones de la Cava Baja rememoran un perdido casticismo.
Páginas siguientes: telecabinas del parque de atracciones de la Casa de Campo.
A la izquierda, «el Pirulí».

"Mesones" in La Cava Baja, filled with reminiscences of once typical Madrid life.
Following pages: cable-cars in the Casa de Campo funfair.
On the left, "the Lollipop".

Los escaparates de las tiendas: muestrario variopinto y espejo de las calles.

Shop windows: a varied selection and a mirror of street life.

La plaza Mayor acoge los domingos un curioso mercadillo de sellos, monedas y vitolas.
Páginas siguientes: el madrileñísimo Rastro, cantado por escritores, desde
Mesonero Romanos a Gómez de la Serna.

The Plaza Mayor on Sundays houses a curious flea market selling stamps, coins and cigar bands.
Following pages: the "Rastro", Madrid's inimitable flea market, praised by writers from
Mesonero Romanos to Gómez de la Serna.

Fiestas de San Isidro. Los castizos se dan cita en la iglesia del santo patrono.

Festivities of San Isidro. The people of Madrid gather at the church of the patron saint.

Fiestas de San Isidro. Chulapas y goyescas.
Páginas siguientes: los capotes se asoman a la barrera de la plaza de toros de Las Ventas.
El ruedo.

Festivities of San Isidro. Typical Madrid characters.
Following pages: capes over the barrier of the Las Ventas bullring.
The bullring.

Hornacinas de San Isidro en el Puente de Toledo.
Páginas siguientes: Biblioteca Nacional. La Banda Municipal toca todos los domingos
en el quiosco de El Retiro.

Shrines dedicated to Saint Isidore on the Puente de Toledo.
Following pages: Biblioteca Nacional. The municipal band plays every Sunday
on the stand in El Retiro.

BIBLIOTECA NACIONAL

LUIS VIVES

SAN ISIDORO.

El zoológico de la Casa de Campo, con su célebre oso panda.
Página siguiente: delfinario del zoo de la Casa de Campo.

The Casa de Campo Zoo, with its famous panda.
Following page: the dolphinarium in the Casa de Campo Zoo.

Real Jardín Botánico.

Real Jardín Botánico.

El parque de El Retiro, solaz de madrileños y extranjeros.

Parque de El Retiro, an attraction for Madrilenians and visitors.

Estudiantes en el Campus de la Ciudad Universitaria.

Students on the Campus of the Ciudad Universitaria.

Diversos aspectos de la plaza de España con el monumento a Cervantes.

Various views of the Plaza de España with the monument to Cervantes.

La gente «chic» de la calle Serrano.

Chic shoppers in Calle Serrano.

Museo de El Prado. Sala de El Greco.
Páginas siguientes: salas de Goya y Velázquez.

Museo de El Prado. El Greco room.
Following pages: Goya and Velázquez rooms.

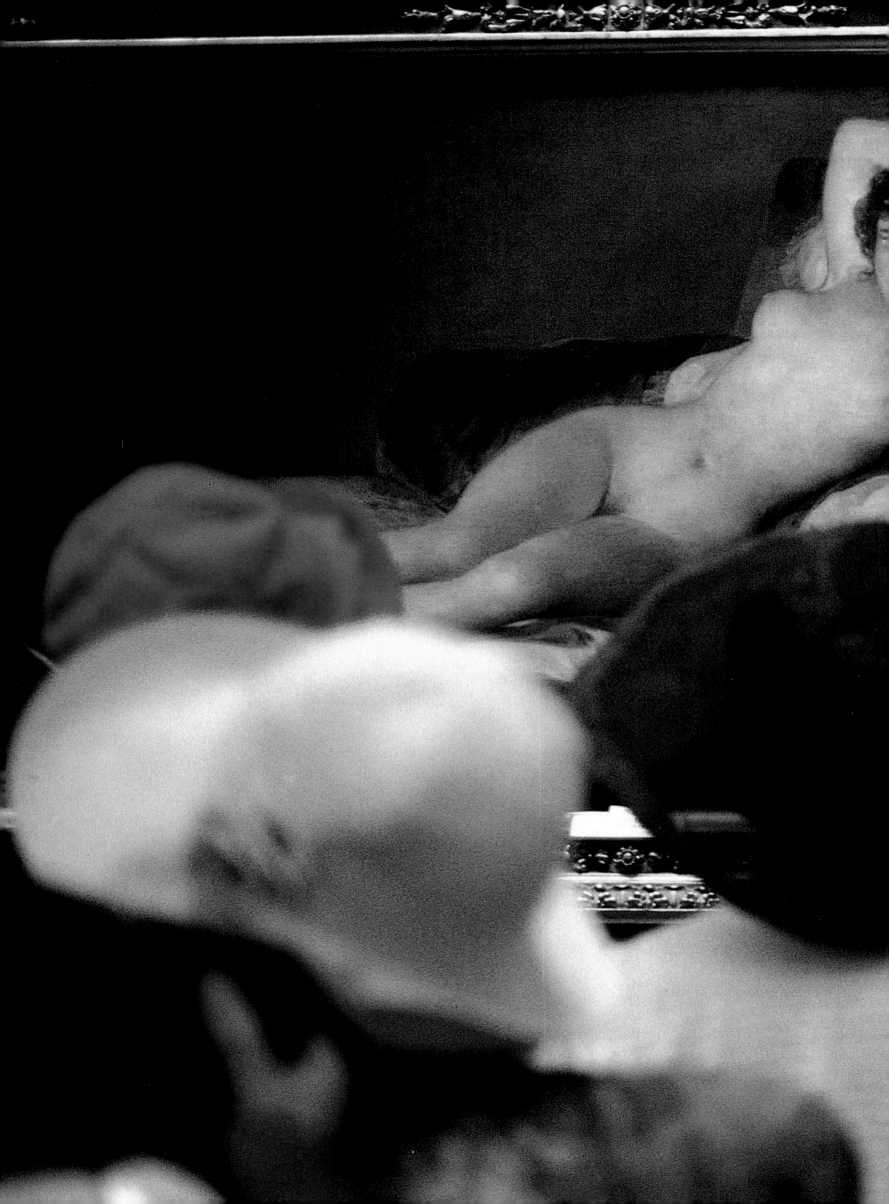

Convento de Las Descalzas Reales. Relicario y escalera principal.
Páginas siguientes: fachada del convento.

Convent of Las Descalzas. Reliquary and main staircase.
Following pages: Façade of the convent.

Monasterio de Los Jerónimos Reales.
Página siguiente: nave central de la catedral de La Almudena.

Monastery of Los Jerónimos Reales.
Following page: central nave of the Cathedral of La Almudena.

Bóvedas de la escalera de Embajadores del Palacio Real.

Vaults over the "Ambassadors'" staircase in the Palacio Real.

Palacio Real. Salón de Gasparini.
Páginas siguientes: cúpula de la Capilla Real.

Palacio Real. Gasparini hall.
Following pages: cupola of the Capilla Real.

Puerta de Toledo, del reinado de Fernando VII.

Puerta de Toledo, from the reign of Ferdinand VII.

La Puerta de Alcalá, construida en tiempos de Carlos III.

Puerta de Alcalá, built in the days of Charles III.

Puerta del Sol. Monumento a Carlos III.

Puerta del Sol. Monument to Charles III.

La reconstruida Puerta de San Vicente.

Reconstructed Puerta de San Vicente.

Exterior e interior de la Bolsa de Madrid.
Páginas siguientes: Congreso de los Diputados, interior del hemiciclo y Auditorio Nacional.

Exterior and interior of the Madrid Stock Exchange.
Following pages: Congress of Deputies, interior of the chamber and Auditorio Nacional.

El futurista Faro de la Moncloa, entre el Arco de Triunfo y la torre del Museo de América.

The futurist Faro de la Moncloa, between Arco de Triunfo and the Museo de América.

Estación Puerta de Atocha. Trenes de alta velocidad.
Páginas siguientes: Jardines del Descubrimiento, plaza de Colón.
Museo de Escultura al Aire Libre y Museo Español de Arte Contemporáneo.

Puerta de Atocha station. High-speed trains.
Following pages: Jardines del Descubrimiento, Plaza de Colón.
Museo de Escultura al Aire Libre and Museo Español de Arte Contemporáneo.

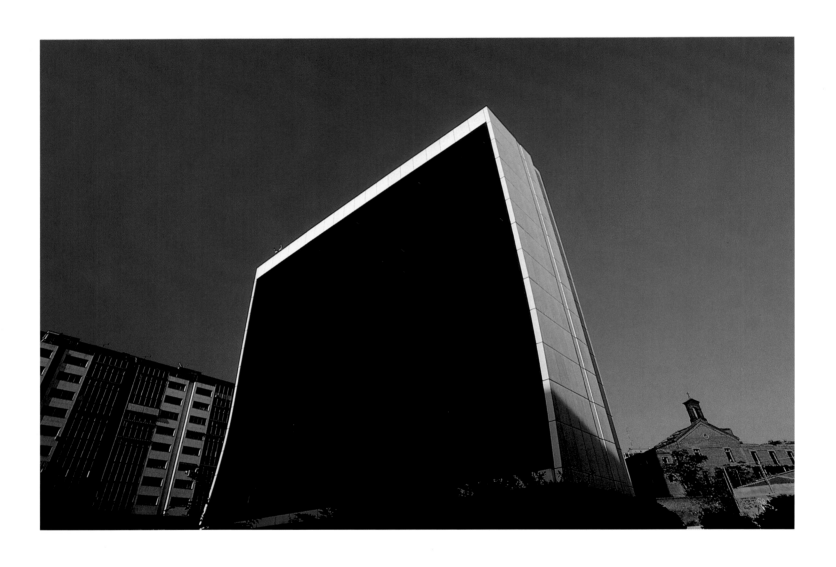

Moderna arquitectura en Príncipe de Vergara.

Modern Architecture on Calle Príncipe de Vergara.

El Planetario, en los Jardines de Tierno Galván.

The Planetarium, in the Jardines de Tierno Galván.

Zona del Recinto Ferial Juan Carlos I y rascacielos de Azca.
Páginas siguientes: el nuevo Madrid de acero y cristal. Plaza de los Nuevos Ministerios.

Area of the Juan Carlos I trade fair and Azca skyscraper.
Following pages: the new Madrid of steel and glass. Plaza de los Nuevos Ministerios.

MADRID
Luis Carandell

Ramón Gómez de la Serna had a name for the architectural complex of the Gran Vía, which in his day was being built; he called it *Madrid porvenirista* (the Madrid of future prospects). What would the great Ramón say today, on contemplating the forest of skyscrapers, buildings of glass and steel, which have risen up here like wild plants? The first of Madrid's skyscrapers, precisely on the Gran Vía, was the telephone exchange, built in the late twenties. The *Madrileños* of the time would not have taken much notice of it, however, for when in the fifties the Edificio España was built in the square of the same name, people began to call it El Taco (the swearword), because they said that when someone saw it for the first time they would utter an expletive in admiration. Then came others, among them the Torre de Valencia, the undeniable architectural quality of which was spoilt by the fact that when seen from the Plaza de la Cibeles it obstructed the fine view of the Puerta de Alcalá.

Over the last fifty years, Madrid has grown in height. She might have spread out far more than she has into the surrounding semi-desert; nonetheless, she preferred to grow upwards, extending also with the strength of great trees. Sometimes, when from the edge of the developed area one contemplates the parched, unproductive lands of the Meseta, one wonders what sense there was in building high-rise housing blocks in a place where so much land is available.

The skyscraper, however, is the image of the XX century and Madrid would give the impression of living in the past if she had not erected, especially at the northern end of the city, the slender monuments of contemporary architecture. We shall have plenty of opportunities to encounter them during our stroll; for the time being, suffice it to say that Madrid is no longer just the southern city she always was and in a way continues to be since there is now a «Nordic» Madrid which competes innocuously with many European and even some American cities.

Personally, I find this *porvenirista* Madrid (to use Ramón's term) very beautiful, above all because her modernity has already been impregnated with the Madrid lifestyle, it has become humanised, we might say, and has paid tribute to the character of the *Villa* that witnessed her birth. The tone —courtly on the one hand, popular on the other— which characterises the old districts has been transferred also to the city's new quarters. In areas where the skyscrapers might have imposed an American lifestyle, civil servants and employees go out as one to have their mid-morning coffee as the whole of Madrid does; there are restaurants serving stewed lentils and steak with lettuce; there are the *tapas* bars where you can have pickled anchovies, Spanish omelette, fried bacon and crusty bread *bocadillos* of frittered squid rings; and there are the same fruit and vegetable shops and grocery stores you would find in a typical street of old Madrid such as Calle de Toledo.

Madrid's charm lies precisely in the peaceful coexistence between the old and the new. One might say that the city's strong character resists all changes and survives all forms of modernisation. She readily accepts all fashions and all trends, but never seems to be thoroughly convinced by any of them. Being a city made from lots of little bits —a bit Moslem, a bit Castilian, a bit Andalusian, a bit Austrian, a bit French, a bit New Yorker— what predominates is the land of the Meseta where she was born. The person who in our day has best depicted her is the great Antoñito López, painter of variegated urban landscapes with their reddish brick colours. This is the tone which predominates when Madrid is contemplated from any roof (or from a plane), although what travellers in the past said when recording their impressions of the city is no longer true: that Madrid was a city built entirely out of brick except for the Palacio Real, a few churches and the Court Jail, which was built out of stone, the finest stone available, in the belief no doubt that it would soon accommodate many prominent figures from the world of high-level politics.

The Arab tradition

Madrid has managed to transform the humble brick into a highly noble material. Churches such as San Nicolás de los Servitas, San Pedro el Real, San Jerónimo or the Oratorio del Caballero de Gracia are all of brick. In our century exquisite neo-mudejar buildings have been constructed such as the Escuelas Aguirre, the Plaza de Toros Monumental de las Ventas and the Matadero Municipal in which it is possible to observe capricious combinations of brick in the tradition of Arab master builders. In recent years, brick has been the basic construction material for a great number of housing blocks, schools, cultural centres and artists' studios.

Often frequently encountered in Madrid is a wise combination of brick and granite. The Palacio de Santa Cruz, which houses the Ministry of Foreign Affairs and which was originally the Court Jail to which I referred earlier, is an example of this elegant Madrid style. The same might be said of the Casa de la Villa, of the Museo del Ejército, formerly the Salón de Reinos in the Palacio del Buen Retiro, or the former Casa de Correos, today seat of the Presidencia de la Comunidad de Madrid, in the Puerta del Sol.

From the sober XVI-century and XVII-century houses with stuccoed façades and balconies to the latest examples of buildings in concrete and glass, Madrid constitutes a whole anthology of architecture. If there is one thing missing in Madrid, it is the *modernista* architecture which abounds in Barcelona. The only example of this style is the Sociedad de Autores building, in Calle de Fernando VI, the work of the Barcelona architect Grases i Riera, one of Gaudí's fellow students.

As a city that gladly welcomes all novelties, Madrid boasts a great variety of architectural styles. A good example of this is the Gran Vía and the junction between Calle Alcalá and Calle Sevilla, with the Equitativa building which now houses the Banco Español de Crédito, the Banco de Bilbao and the Madrid Casino. Not to mention the Salamanca district; the Paseo del Prado, with the fine Ritz and Palace hotel buildings, or the Glorieta de Atocha with the splendid iron and glass train station of the same name, the former Hospital de San Carlos, now the Centro de Arte Reina Sofía, and the Ministry of Agriculture, with its portico consisting of eight Corinthian columns and its attic crowned by three graceful sculptures.

Over recent decades on Paseo de la Castellana a contemporary Madrid has emerged with such elegant, well-proportioned constructions as the BBV building by Sainz de Oiza, the Torre Europa by Oriol and Ibarra, the AZCA complex by Antonio Perpiñá and the Torre Picasso by the author of the New York Trade Center, Minoru Yamasaki, to name just a few examples. The list of Madrid's finest modern buildings should also include the Torres Blancas, on Avenida de América. The architect who designed it, Sainz de Oiza, has subsequently taught us a lesson in adapting brick architecture to modern times in his housing block on the M-30. This helicoidal structure houses 364 state-controlled dwellings. The exterior is perforated by a vast number of tiny windows to prevent the din from the motorway from penetrating inside. The façade, which from the outside gives the impression of a bunker, looks onto a brightly coloured sunny patio.

The rooftops of Madrid

Madrid is a mixture between Navalcarnero and Kansas City wrote Camilo José Cela to emphasise her striking combination of capital and small village. A good host of the *Villa y Corte* should recommend guests to climb one of the centre's vantage points to observe Madrid from above. The view of the old city's rooftops suggests much of her history and character. The modern capital which is today the centre of a conurbation of over four million inhabitants was originally a village. The Arab rooftops of the central districts reveal the persistence of the *burgo manchego* that Madrid was before she became capital. Someone defined the city as «a village in which a palace was built» and it is for this reason that it has always been possible to distinguish between what she has of Court and what she has of *Villa*. She is courtly, with Austrian or French elegance in the Plaza Mayor or in Paseo del Prado, beneath skies that might have been painted by Velázquez. But she has not entirely lost the Moorish character of the *burgo* founded by a Cordobese emir as an outpost to defend Toledo against the Christian monarchs.

In less than half a century, the population of Madrid has quadrupled. And her unbridled growth has attracted people from all over to the «breakwater of all the Spains». However, the rise of the capital has not led to the disappearance of the *Villa*. Skyscrapers exist side-by-side with low houses, restaurants in which it is possible to savour the world's gastronomic delights with the traditional *tascas*. And department stores with humble shops in whose windows it is possible to read signs such as «we sell stale bread», «fresh eggs from Castile. We are Madrid's number one egg supplier», «quality hairdresser's. We cut young ladies' hair». And alongside the big hotels there are still the old inns such as those of Cava Baja, open since the XVIII century or the guest houses for «travellers and mounts» worthy of a novel by Galdós.

Historical Madrid is divided into three. Of the Moorish Magerit which stretches from Cava Baja to Vistillas, remain the names of a few street and corners: Calle de la Morería, Puerta de Moros, craftsmen's workshops manufacturing agricultural implements and the smell of frying food from tiny taverns. To this Madrid of Las Cavas still come provincial farm labourers and honey sellers from La Alcarria, who put up in the old inns, to peddle their wares, buy provisions and go to see Lina Morgan performing at the La Latina theatre. It was in this Magerit, in the XI century when King Alfonso VI took it from the Moslems, that Isidro Merlo de Quintana was born, the humble agricultural labourer whom the angels helped to work the estate of his lord, Ivan de Vargas. There must be few cities in the world with a farm worker as patron saint. Beside the Plaza del Cordón we can visit the house where Isidro served and, close by, on the other side of the river, the fountain he made to work in times of drought (very «naturally» and without too much effort, as befitting the very *Madrileño* way of performing miracles). It is said that in his church in Calle de Toledo the immaculate body of San Isidro is kept, which is shown to the faithful only on a few solemn occasions. During the Reconquest, Madrid was surrounded by walls, some of the stretches of which have been uncovered. In the wall surrounding the citadel an image was found of the Virgin of La Almudena, after whom many Madrid girls of today are named.

On top of the Arab castle from the times when, according to the old ballad by Nicolás Fernández de Moratín, El Cid used to come to Madrid to lance bulls, the Trastamara monarchs built a citadel which was later reconstructed by the House of Austria. The Catholic Monarchs convened their court audiences in Madrid and the city was one of Emperor Charles' favourite haunts. In 1561 his son, Philip II, without ever having made the express decision to make Madrid the capital of his kingdoms, authorised his Court to be set up there. This led to the construction in the *Villa* of beautiful buildings, outstanding among which are the Bishop's Chapel, the Church of San Andrés, with its exquisite altarpiece by Francisco Giralte, the Convent of the Descalzas Reales, founded by Philip II for his sister, Doña Juana, the widow of the King of Portugal, and the Monastery of La Encarnación.

The capital of two worlds

When the Court was established in Madrid, her population doubled with the arrival of provincial nobles, religious orders, bishops and priests, artists and artisans, military men, lawyers, doctors and tradesmen and, with them, rogues, procuresses and ruffians, forming a society which was a culture medium for Golden Age literature and for the flourishing of the arts.

The masterpiece of the Madrid of the Austrias is what came to be known in the XVI century as the Plaza Mayor. It would originally have been a market place outside the urban precinct which Philip II ordered to have refurbished. In 1590 work began on the Casa de la Panadería (Baker's). This name, as well as that of the Casa de la Carnicería (Butcher's) attests to the square's mercantile origins. It was Philip III who commissioned Gómez de Mora to build the Plaza, which was officially opened on May 15 1620 to the tune of verses by Lope de Vega sung in praise of the beatification of Isidro, who had been considered the city's patron saint since long before. Festivities were also held to celebrate the canonization of Teresa de Jesús, Ignacio de Loyola, Francisco Javier and other saints.

Nonetheless the Plaza Mayor, core of the old city, served equally to sing the praises of a saint, execute a condemned man, or hold a masked ball or a bullfight. It was in this square that the sumptuous festivities were held in honour of Charles, Prince of Wales, who in 1623 came to Madrid with the intention of marrying the Infanta María, Philip IV's sister, although the wedding never took place. In total contrast to this lavish welcome, two years earlier crowds had gathered in the Plaza Mayor to witness the execution of Rodrigo Calderón, Marquis of Sieteiglesias, at the beginning of Philip IV's reign.

Bullfights were a frequent event in the Plaza, the last of which took place in 1847 on the occasion of the wedding of Isabella II.

After the fire which affected the Plaza Mayor in 1791, the architect Juan de Villanueva was required to restore some of the buildings and he took advantage of the fact to erect the arches around the square. Since the early XIX century, the Plaza has undergone few alterations. Thanks to the initiative of Ramón de Mesonero Romanos, the equestrian statue of Philip III was placed there, the work of John of Bologna and Pietro Tacca. The Royal Chamber of the Casa de la Panadería contains fine frescos by Claudio Coello and Ximénez Donoso as well as a skirting of Talavera tile. It now contains the archives of the *Villa*.

In keeping with its best tradition, the Plaza Mayor is today the venue for concerts, theatre performances or Carnival balls. All year round, although in the summer above all, the square is an animated place which attracts many young people who follow the route of bars, tourists and families with children.

The Bourbons were very good city developers: they traced out avenues and streets which accommodate even today's overwhelming volume of traffic; they filled Madrid with fine buildings. Indeed, one of the Bourbon kings, Charles III, was nicknamed «Madrid's best Mayor». The most important architectural work from the Bourbon period is the Palacio Real, more commonly known as the Palacio de Oriente.

The palace fire

During the reign of Philip V, on Christmas Eve 1734 one of the most devastating fires Madrid has ever seen reduced the Alcázar de los Austrias to cinders. That particular night the royal family was in the Palacio del Buen Retiro. While it is true that a magnificent art collection was lost in the fire, the disaster nonetheless provided Philip V with the opportunity to build a new palace far better suited to the needs of the Court.

The Italian architect Filippo Juvara, summoned by the king, drew up a grandiose project, apparently inspired by Versailles, which he placed outside the city confines. Philip V rejected the project and, after the death of Juvara, his pupil Giambattista Sacchetti designed the present-day palace for the site of the former Alcázar. The first king who was able to occupy it was Charles III. The building is a magnificent example of palace architecture, lavishly adorned with paintings and frescoes by XVIII-century Italian and Spanish artists. All the subsequent Spanish monarchs until Alfonso XIII lived in this palace, which is today used for important receptions and can be visited as a museum.

Madrid has for centuries been a fundamental centre for the study of the history of painting and the arts. The Prado Museum is considered to house the world's best collection of ancient art. In recent years, the city's importance as an art centre has increased even further with the acquisition of the Baron von Thyssen Collection, housed in the fine Palacio de Villahermosa, and with the creation of the Centro de Arte Reina Sofía. What was formerly known as the

Salón del Prado, between the Plaza de Neptuno and the Glorieta de Atocha, contains what might be described as a unique treasure of world art.

The Prado Museum was originally called the Museo de Pinturas. Created in 1819 on the basis of the royal collections, it was housed in the building which in 1785 Juan de Villanueva had been commissioned by Charles III to design as the Natural Sciences Laboratory.

The Museum contains over 6,000 paintings, of which scarcely one half can be exhibited at the same time, the rest being kept in storerooms or temporarily in other buildings. Spanish painting from the XIX and early XX centuries is kept in one of the Museum's dependencies: the Casón del Buen Retiro. A project is currently under way to extend the Prado so that its complete collections may be exhibited.

For those who wish to familiarise themselves with Spanish painting, a visit to The Prado is essential. The museum contains almost the whole of Velázquez's oeuvre, much of Goya's, while El Greco, Murillo, Zurbarán, Ribera, Ribalta and Valdés Leal, among others, are all well represented. For an appreciation of Italian painting it is also necessary to visit The Prado. Fra Angelico, Botticelli, Mantegna, Andrea del Sarto and Raphael are all represented there, although the best collection is of Venetian painting. Titian has more works in The Prado than can be contemplated in his own country and it also contains extraordinary canvases by Tintoretto and Il Veronese.

The Prado also contains some of the finest works of Bosch and Flemish painting is represented by canvases by Van der Veyden, among them his superb *Descent from the Cross,* and by an extraordinary collection of Rubens, who worked for the Spanish Court. Outstanding among the Germans are Dürer and Cranach; among the Dutch Rembrandt; among the French Watteau and Poussin and among the English Gainsborough and Reynolds.

The painter Edouard Manet was in Madrid in 1865 and was astounded by Velázquez's canvases in The Prado. «Oh, what a pity you are not here,» he wrote to his friend Fantin-Latour, «for you would have loved to contemplate the works of Velázquez which by themselves make the journey worthwhile. The painters of all the schools around him in the Madrid museum, which are very well represented, all seem second-rate compared to him. Not only did he impress me, he amazed me. Velázquez dwarfs all other painters».

The extraordinary Thyssen Bornemisza Collection has completed Madrid's artistic wealth with painters who formerly were insufficiently well represented in the capital: the Flemish primitives, the Dutch, part of Italian painting, the French Impressionists, The German Expressionists and present-day Americans. Worthy of mention here is the architect Rafael Moneo's restoration and adaptation of the Palacio de Villahermosa to house the Collection.

The Centro de Arte Reina Sofía contains one of the most famous works of contemporary art, Picasso's *Gernika,* as well as a fine collection of contemporary Spanish art. It occupies the former Hospital General de San Carlos, ordered to be built by Charles III late in the XVIII century.

Painting has many other nuclei of interest in Madrid. It is a must to visit the Museo de la Real Academia de Bellas Artes de San Fernando in the building which Churriguera erected in 1710 in Calle de Alcalá, beside the Puerta del Sol. It contains works by Velázquez, El Greco, Murillo, Rubens and many others.

Its main importance, however, is the Zurbarán collection containing some of his extraordinary portraits of white-robed monks which are not represented in the Prado. There is also a delightful Goya depicting the *Burial of the Sardine* and an excellent collection of XIX-century and XX-century Spanish painting formed by works by the painters who studied at the Academy.

Another major painting museum is the one that bears the name of its founder, José Lázaro Galdiano, who ceded to the State his house and his collection of art, furniture, clocks, weapons, ivory, jewellery and other objects. The museum contains a canvas attributed to Leonardo da Vinci and paintings by Bosch, Cranach, Velázquez, El Greco, Murillo, Zurbarán and Goya. Works by some of these masters can also be contemplated in the Museo Cerralbo and there is an extraordinary collection in the convents of Las Descalzas Reales and La Encarnación. Finally, we must include in this incomplete list of Madrid art museums the exquisite Hermitage of San Antonio de la Florida. What is remarkable about this small temple, making it a unique specimen in the history of art, are the scenes from the life of the saint which Francisco de Goya painted on the dome and vaults in 1798.

It is also worth visiting the Museo Arqueológico Nacional in the same building as the National Library, in the garden of which there is a life-size reproduction of the cave of Altamira with its famous rupestrian paintings. Of special interest here are the prehistory rooms. Last century one of the most interesting Palaeolithic sites in the whole of Europe was discovered on the banks of the Manzanares, and the Museum contains evidence of the presence of the hunters who, four-hundred thousand years ago came here in pursuit of the elephants, rhinos and other animals then native to the region.

The Dama de Elche

The Museo Arqueológico Nacional is particularly important in terms of Iberian culture, since it contains sculptures such as the Dama de Elche, the Dama de Baza, the Dama Oferente del Cerro de los Santos and the Bicha de Balazote. There are also interesting samples of Visigothic art, such as the votive crowns of Guarrazar, as well as of Islamic, Gothic and renaissance art.

Another of Madrid's most important museums is the Museo de América, containing pre-Columbian artworks and objects, material from the time of the conquest and of the scientific expeditions of the XVIII and XIX centuries. Alongside the Maya stele of Madrid, the treasures of the Quimbayas and the collections of Inca art, there is a priceless codex which Hernán Cortés brought back from America, one of the most important surviving Maya manuscripts. For those interested in the history of Madrid it is advisable to visit the Museo Municipal, housed in the fine building which Pedro de Ribera erected as a hospice. Together with a host of paintings, some of them by Goya, it contains pieces in precious metals, porcelain and a marvellous, highly detailed scale model of Madrid which reproduces, street by street and house by house, the city as she was in 1830. Recently a Museo de la Ciudad has also been founded with objects and documents of great interest. Outstanding among science museums is the Museo de Ciencias Naturales with collections put together early in the XVIII century by Pedro Franco Dávila. The objects he collected formed the basis for the Gabinete de Historia Natural, founded during the reign of Charles III, which today constitutes one of the most important old museum collections in the whole of Europe. The Museo de Ciencias Naturales performs a highly important educational function with interesting monographic exhibitions.

Geology, Pharmacy, Ethnography, Astronomy and Aeronautics also have their own museums in Madrid. There is also a number of interesting theme museums such as the Museo del Ferrocarril (Railway Museum), which now occupies what was formerly the Las Delicias station. For numismatists it is a must to visit the Museo de la Fábrica Nacional de Moneda y Timbre, with formidable collections of coins from Spain and abroad.

The list is practically endless: the Museo del Teatro, the Museo Postal, the Museo Penitenciario, the Museo Policial, the Museo de los Bomberos. The Museo Naval contains an extraordinary collection of ships from different eras and navigation charts, outstanding among which is the one which Juan de la Cosa drew up in 1500, the first map to feature the New Continent.

Boabdil's sword

The Museo de la Real Fábrica de Tapices, founded by Philip V, is more than a museum. Not only does it contain an interesting collection of old tapestries and cartoons, it also offers visitors the chance to watch weavers at work.

In the Museo del Ejército (Army Museum) there is a rich collection of armour, including the one worn by the Gran Capitán, and of weapons, outstanding among which is the sword of Boabdil, the last Moorish king of Granada. It also contains the horse-drawn carriage and the car in which the prime ministers Prim and Dato were respectively assassinated in the streets of Madrid. The pistol with which the writer Mariano José de Larra committed suicide can be seen in the Museo Romántico, splendidly decked out as a period house and containing a fine collection of paintings. Finally, it is well worth visiting the Museo Taurino (Bullfighting Museum) in the Plaza Monumental de las Ventas. This enclosure is often referred to as the «cathedral of bullfighting», for which title it rivals the Real Maestranza in Seville. To be a success in Madrid is the ultimate ambition of all toreros and, thanks to Las Ventas, Madrid can justly be considered the world capital of bullfighting.

Not only art but also literature has made history here. Most Spanish literature has either been written in Madrid or is set in Madrid. It was here that the great Spanish theatre of the Golden Age emerged, much of the picaresque novel tradition and baroque poetry. It was here that the first edition of Don Quixote was printed, in a building in Calle de Atocha which is today a museum. Of special interest for the literary history of Madrid is the quarter which bears the ancient name of Cantarranas, for it is here that the novelist and poet Francisco de Quevedo and the poet Luis de Góngora lived. The house of Lope de Vega has been preserved and it is believed that Miguel de Cervantes is buried in the neighbouring Trinitarian convent. One of the city's urban curiosities is the fact that the street in which the convent stands bears the name of Lope de Vega, while that house that belonged to the playwright is in Calle de Cervantes.

Very near here is one of the most characteristic institutions in Spanish intellectual life, the Ateneo de Madrid, founded in the first third of the XIX century. Many other writers have lived in this quarter, among them Benito Pérez Galdós, whom nobody would deny the title of «the novelist of Madrid» since the action of many of his novels takes place in the capital.

Another great moment for Spanish culture and literature was the nineteen-twenties and thirties. Two generations coincided in this period, those of 1898 and 1927, many of whose members had their centre in Madrid. This period has justly been called the «Silver Age of Spanish culture». Worth a visit is the student residence in which Federico García Lorca, Luis Buñuel, Salvador Dalí, Rafael Alberti and many other intellectuals of the period lived. It stands in what is known as the Colina de los Chopos, between Paseo de la Castellana and Calle de Serrano, in the north of the city.

An apprentice river

A favourite theme in Madrid literature of all ages is the River Manzanares. If Madrid had not been chosen as capital de las Españas, the «Manzanarillos» would have been a model of discretion. However, when Philip II ordered an enormous bridge over it, the Puente Segoviana, the work of Juan de Herrera who also built the Escorial, the Court engineers began to mock the river. The bridge was necessary, nonetheless, since the river would swell in the rainy season, as Vicente Espinel describes in his *Vida del Escudero Marcos de Obregón* (Life of the Squire Marcos de Obregón). On such occasions, the whole neighbourhood would gather to contemplate the river in the Rastro, with its streets called Mira el Río Alta and Mira el Río Baja. The precautions taken by Herrera and subsequently by Pedro de Ribera, who built the Puente de Toledo in the XVIII century, were looked upon as a joke. «A stream which is an apprentice river» is what Quevedo called the Manzanares, while Castillo Solórzano considered it an «errant puddle». For his part, Lope de Vega advised one of the *Villa*'s aldermen to «buy a river or sell a bridge».

Tirso de Molina compared the river to a student on his summer holidays and Góngora summed up its history in a cruel line: «An ass drank water and today has urinated all over me».

Today the Manzanares is a river which has been channelled and dammed and, its waters purified by a good mayor, is a nursery for fish and ducks. In classical times this modest river could be described as «a stream with gallstones». As a jibe against Madrid's tavern keepers, Quevedo satirised the Manzanares by saying that a quart of wine had more water in it than the river.

King Philip II had cherished the idea of linking Madrid with Lisbon by means of a navigable canal along the Manzanares, the Jarama and the Tagus. The project drawn up by the engineer Antonelli was abandoned, to be resuscitated a century later by the Grunenberg brothers. The chronicler of Madrid, Redro de Répide, swears to have seen a curios print depicting the Archduke Charles, pretender to the Spanish Throne in the War of Succession, disembarking at the Manzanares wharf in Campo del Moro. There was apparently another attempt made to channel the river in the last quarter of the XVIII century and the works reached Vaciamadrid. The only problem was, Répide recounts, is that when the lock gates were opened it became immediately obvious that the waters of the Manzanares would never reach the Jarama. The engineers had built the canal uphill and what was to have been a navigable watercourse became a foul-smelling pond.

Despite the river's humility, its banks have always been a recreational area for the *Madrileños*. Count Fulvio Testi, who visited the city during the reign of Philip IV, said that the Manzanares is «poor in water but very rich in women». Vélez de Guevara, in his novel *El Diablo Cojuelo* (The Devil on Two Sticks), says that «the Manzanares calls itself a river to laugh at those who go to bathe in its waters» and adds that it is «the most lunched and suppered river in the whole world». Both then and now, the banks of the Manzanares have been peppered with picnic spots, the most frequented of which is La Florida, which already existed long before Goya painted it. Jokes about the river have persisted into more recent times. A chronicler writes that when Ferdinand VII was about to take a carriage ride on the river bed, he ordered it to be watered. Ventura de la Vega assures us that when it rained the Manzanares asked for an umbrella. Foreign travellers caught the burlesque disease. Alexander Dumas offered the river the half glass of water he had not drunk; Théophile Gautier recounts that during his stay in Madrid he had searched for the Manzanares but had never found it; and Jerónimo de la Quintana, the XVII-century Madrid chronicler, tells of how the Count of Rehebiner, Rudolph II of Germany's ambassador, stated that the Manzanares was the best river in the world because it was «navigable on horseback».

A modest river, «liquid irony» as the philosopher Ortega y Gasset described it, there can be no doubt that the Manzanares has provided the city with a great flow if not of water, at least of literature.

The greenest city

From the modest river and the dry surrounding landscape of Madrid, nobody would ever guess that the Spanish capital is one of the world's cities with most parks and green zones. One might say that Madrid's vocation is to be an oasis in the middle of the semi-desert of the Meseta, a vocation she has had since ancient times and continues to have today. In recent years parks have been built in areas where there were none before. Such is the case of the one in the south-east of the city, which bears the name of the late and lamented mayor Enrique Tierno Galván, which contains the Planetarium. Of more recent creation is the Juan Carlos I Park, which forms part of the Campo de las Naciones project that accommodates the Madrid Trade Fair precinct and the new Congress Hall. The park, at the exit to Madrid on the road to Aragon, occupies a total of two hundred and twenty hectares and is structured around an ancient olive tree, forming a ring of avenues and promenades with a lake, several ponds and a navigable canal. Furthermore, it contains the Jardín de las Tres Culturas, the Vergel Judío, the Estancia de las Delicias, the Estancia Islámica and the Las Cantigas cloister. The whole of the Parque de Juan Carlos I is adorned with a magnificent collection of sculptures by contemporary artists.

Adjacent to this new Parque Juan Carlos I there is a delightful garden called El Capricho de la Alameda de Osuna commissioned in the XVIII century by the Duchess of the same name, María Josefa de Pimentel y Tellez Girón. Its origins, however, might go back to the XVI century. «My private Versailles», as María Josefa called it, contains a palace which was restored in the XIX century, several pavilions, an exquisite circular temple dedicated to Bacchus, a large central lake with a navigable channel and numerous statues and fountains. No greater praise can be lavished on this neoclassical complex than to say that it responds perfectly to the name of El Capricho (The Caprice) with which the Duchess christened it.

Within the perimeter of the city of Madrid is the huge estate of the Patrimonio Nacional (National Heritage) known as the Monte del Pardo, the favourite hunting ground for kings since the days of Henry III at the end of the XIV century. As from this moment, the Royal Site of El Pardo was gradually extended until it reached a surface area of 27,000 hectares, populated with holm oaks, oaks, junipers and riverside species such as poplars and ashes which grow on the banks of the Manzanares, which crosses the estate. Only a few small areas of the Monte are accessible and it lacks roads or paths. It abounds in game, big and small, such as hares, partridges, ring doves, wild boar and fallow deer and a few species of fowl which have been reduced almost to extinction.

In 1405 Henry IV ordered a royal pavilion to be built there which the Emperor Charles I later converted into a palace. After a fire early in the XVII century it was reconstructed by the architect Juan Gómez de Mora and subsequently extended by Sabatini during the reign of Charles III.

Coming now to our own era, until 1976 El Pardo was closed to the public since it was the residence of the former Head of State. During the Civil War it was the headquarters of the International Brigades. The palace is now the residence for visiting heads of state and one part of it has been converted into a museum.

Located in the Royal Site of El Pardo is the exquisite Casita del Príncipe, a one-storey house built, like its namesake in the Escorial, by Juan de Villanueva in 1785 by request of the future King Charles IV. While its exterior façade is neoclassical, its interior is decorated in baroque style with marble, gilt stucco, velvet and paintings by Bayeu, Maella and Mengs.

Also within the Monte del Pardo precinct is the Palacio de la Zarzuela, the present-day residence of King Juan Carlos. Built in the XVII century, it was originally a pavilion where theatre performances and concerts were held. Subsequently it was restored on several occasions until it was totally destroyed during the Civil War. The palace as it now is was built in the historicist style typical of the postwar period. The name «La Zarzuela» derives from the fact that in 1628 it was the scenario for the first ever performance of this musical genre: *El Jardín de Falerina* with libretto by Pedro Calderón de la Barca and music by Juan Risco. Worth a visit is the Convent of Nuestra Señora de los Ángeles, near the Palacio de El Pardo. Popularly known as the Santo Cristo de El Pardo, the convent church contains a main altarpiece decorated by Francisco de Rizzi and, in one of the side chapels, a recumbent Christ by the great religious sculptor Gregorio Fernández.

The Casa de Campo

The most popular of Madrid's parks is the Casa de Campo, a 1,700-hectare estate in the north-west of the city whose attractions make it the most sought-after place for the *Madrileños* to stroll or have picnics.

It was Philip II who, with the idea of endowing the Alcázar with hunting grounds, purchased the Casa de Campo from the Vargas family. Ferdinand VI and Charles III acquired adjacent land to extend the park. The monarchs of the Austrian dynasty continued to use the estate for hunting while the Bourbons converted it into the venue for courtly festivities. The Casa de Campo belonged to the Crown until 1931, when the republican government converted the estate into a park «for the recreation and edification of the people of Madrid». Recently the attractions of the park have been increased with the Zoo, the Funfair, the Rosales Cable Railway, municipal swimming pools and sports facilities. On holidays, the Casa de Campo might be visited by half a million people. Although cars are banned from many areas of the pine and holm-oak wood, the estate has to withstand heavy vehicle traffic. Public opinion is growing in favour of prohibiting motor vehicles from entering this marvellous park, the veritable lung of Madrid.

Also in the western sector of Madrid are the fine gardens of the Palacio Real. Those nearest the Plaza de Oriente bear the name of Charles III's architect, Francesco Sabatini, who built the royal stables on the site now occupied by the garden. Open to the public are the magnificent gardens of the Campo del Moro, on the steep slope which descends to the Paseo de la Virgen del Puerto. It is from these gardens that the best views of the Palacio Real can be enjoyed.

Beneath the Paseo de Rosales and the Paseo de Moret stands the Parque del Oeste, which one of the city's mayors at the turn of the century ordered to be built on what was then a rubbish tip. During the Civil War the park was a front line in which trenches were dug and bunkers built, traces of which can still be found at the northern end. The park having been devastated by bombs and fire, it was reconstructed in the nineteen-forties and the Rosaleda was created where annual rose-growing contests are held. In the seventies the Jardines del Templo de Debod were opened on the Montaña del Príncipe Pío at the southern end of the Parque del Oeste. Here stands the small Egyptian temple donated to Madrid by the government of that country in recognition of the contribution by Spanish archaeologists to the rescue of monuments in the Nile Valley which would otherwise have remained submerged beneath the waters of the recently constructed Assuan Dam. The temple, from the IV century BC, is dedicated to the god Amon and is decorated with bas-reliefs depicting the Pharaoh and the divinities. Landscape architects rightly criticise the fact that the design of the surrounding gardens does not take sufficiently into account the presence of an Egyptian temple in the heart of Madrid.

In the northern sector of the city there is another fine park, of over seventy hectares, which acts as the lung for the residential zone of Puerta de Hierro. Known as the Dehesa de la Villa, it had also been a royal hunting ground since the Middle Ages; now its extensive pine forests are one of the delights for the people of Madrid.

The best fountain

The Parque de la Fuente del Berro is occasionally known as the «Parque del Este». Most of Madrid's old green zones are situated in the western sector of the city. The Fuente del Berro is the exception. It is a splendid garden which during the first half of the XVII century was an estate belonging to the Duke of Frías, standing next to the Arroyo del Abroñigal, over which the M-30 ring road was recently built. In 1630 the Duke of Frías, Governor of Castile, transferred these possessions to Philip IV, who provided lodgings on the estate for the Castilian monks of the Monastery of Montserrat who had been expelled from the Principality of Catalonia. In the time of Charles III the park was known by the name of Fuente del Rey and, although the property later passed into private hands, the fountain itself continued to form part of the Royal Heritage. During the first decades of the XIX century the water from this fountain was considered the best in Madrid and water peddlers, who were then enjoying a period of prosperity, would sell the water from pitchers to the public at places of recreation or else deliver it to households.

The Madrid City Hall acquired the Fuente del Berro estate in 1948, although the gardens were not opened to the public until 1954. The Fuente del Berro gardens, of some 80,000 square metres in area, were extended by the creation of the adjacent Parque de Sancho Dávila, opened in 1968. Next to the Fuente del Berro park is the Colonia Iturbe, one of the few traditional single-family housing complexes remaining in Madrid. The park contains a small palace which is now the museum of the Instituto Arquelógico Municipal. Although this park stands beside the busy M-30, the luxuriant foliage, the statues, such as that of the poet Alexander Pushkin, which adorn it and the presence of peacocks all contribute to the creation of a romantic atmosphere.

The writer Pedro de Répide said that the Parque del Retiro was «a magnificent wood for the citizenry, recreation for children, a delight for adults, health for all, a refuge for lovers and the solitary and an ever delightful site for the body and the spirit». The description continues to be essentially accurate, although if Répide had written it now he would have had to add the shows put on there for young and old alike on holidays, the concerts by the Municipal Band and the fairs and exhibitions, such as the book fair, held in the park in spring.

The origins of the Royal Site of El Buen Retiro date back to the XVI century, when the Emperor Charles ordered a royal lodge to be built in the vicinity of the Monasterio de los Jerónimos where the royal family could retire for Lent, Holy Week or to go into mourning. This lodge was extended by Philip IV, who transformed it into a small palace which was almost totally destroyed during the Napoleonic invasion when General Murat set up his headquarters in the Royal Site. All that remains of the palace is the Salón de Reinos, now the Museo del Ejército and the so-called Casón, originally a ballroom, which now forms part of the Prado Museum.

Caprices of the Buen Retiro

After the *francesada* («Frenchification») this royal possession, both the buildings and the gardens, must have been left in such a state of ruin that a Madrid guidebook published in 1815 speaks of it as if it were merely a historical remnant. Ferdinand VII undertook the restoration of the park, but because his funds were so low he was forced to lease part of the grounds and, according to accounts, even had to sell ice from the ponds and the product of pruning as firewood in order to raise money. Once the gardens had been restored and, following the precedent of Charles III, ordered much of the grounds to be opened to the public. Ponds, fountains and hothouses were then built and sculptural groups erected, as well as a series of small recreational buildings known as *caprichos*. Of these royal caprices remain the Casita del Pescador, the Casa del Contrabandista and the Montaña Artificial, more commonly known as the Colina de los Gatos. The king also ordered a small zoo to be built, which came to be known as the Casa de Fieras (House of Wild Beasts). While King Ferdinand occupied himself with embellishing above all the part of El Retiro reserved for the royal family, his daughter Isabella II devoted herself to the public part.

In 1868, after the September Revolution, known as «La Gloriosa», the Buen Retiro ceased to belong to the Crown and passed into the hands of the City Council, who christened it the Parque de Madrid, a name which, nonetheless, has never come to substitute its traditional denomination. Towards the end of the century, near the Montaña Artificial, the ruins were rebuilt of a Romanesque hermitage constructed early in the XIII century outside the walls of Madrid. This hermitage, dedicated to saints Pelayo and Isidro, had been purchased by a philanthropist who then donated it to the city.

On the large lake of El Retiro simulated naval battles or naumachias were held to entertain the Court. «Rowing in the Retiro» continues still today to be a favourite amusement for many *Madrileños*. On one of the shores of the lake stands the splendid monument to Alphonso XII by the Catalan architect Josep Grases i Riera; unveiled in 1922, contributions to the monument were made by some of the best sculptors of the period, such as Benlliure, Querol, Blay, Marinas, Inurria and Clarà. It is to these and other sculptors that we owe the numerous statues scattered throughout the park which commemorate writers such as Pérez Galdós, Valera, Campoamor, Benavente and Baroja; composers such as Ruperto Chapí; and politicians such as General Martínez Campos. One of the most original sculptures in the Retiro is that of *The Fallen Angel*, the work of Ricardo Bellver which, besides its artistic value, also enjoys the merit of having made Madrid the only city in the world with a monument to the Devil.

The Retiro is a park with delightful walks to visit the Parterre, the Avenida de las Estatuas, the Palacio de Velázquez (the work of the architect of the same name), the Palacio de Cristal (by the same architect), situated beside a small artificial lake with swans, the Rosaleda and the Jardines de Cecílio Rodríguez. On the Cerrillo de San Blas, at the southern end of El Retiro, stands the Observatorio Astronómico, a veritable gem of neoclassical architecture by Juan de Villanueva, which Charles III ordered to be built in 1790. Today it is a museum devoted to ancient astronomical and meteorological instruments.

The first of Spain's botanical gardens was created in the mid XVI century by Philip II next to the original Palacio de Aranjuez. In the XVIII century Ferdinand VI decided to build another in the Soto de Migas Calientes, on the bank of the Manzanares. His brother and successor, Charles III, transferred the species growing there to what was then known as the Huertas del Pardo Viejo, the present site of the Jardín Botánico.

These gardens in fact formed part of the adjacent Gabinete de Ciencias Naturales, now the Prado Museum. Both the Gabinete and the Jardín were designed by the neoclassical architect Juan de Villanueva and the botanist Gómez Ortega, as part of the plan which the enlightened monarch had drawn up to devote this part of Madrid to the study of the natural sciences. The sloping terrain of the Huerta was divided into three landscaped terraces at the top of which Villanueva constructed the hothouse building, the Chair of Botany and the herbarium with its collection of some fifteen thousand sheets. The creation of the Chair, which was occupied by Gómez Ortega and Cavanilles, led to the organisation of scientific expeditions to all parts of the world, especially to Latin America and the Philippines, one of the most famous of which was the one in 1786 led by the botanist José Celestino Mutis, who returned to Spain with seeds of plants hitherto unknown in Europe. Early in the XIX century seeds of exotic plants were exported from Spain to the public gardens of other European cities. Furthermore, the magnificent library was set up which contains, among other treasures, the six thousand colour plates which the Mutis expedition brought back from the kingdom of Nueva Granada. Not only the garden terraces with their great variety of plants but also the hothouses with their tropical species are a must for botany enthusiasts.

The Salón del Prado

The Paseo del Prado, which stretches from the Plaza de la Cibeles to the Plaza de Atocha, was linked in the past to the Royal Site of El Buen Retiro. In the XVIII century Ventura Rodríguez designed the three magnificent fountains which adorn the Paseo: those of the Goddess Cibeles, of Apollo and of Neptune. Since the olden days, the Salón del Prado had been the meeting place for elegant society. Golden Age literature contains numerous references to this place and European travellers who visited Madrid during the XIX century describe this both popular and courtesan point of encounter in great detail.

In his *Voyage en Espagne*, Théophile Gautier extols the virtues of the Paseo by saying that «The view of the Prado is one of the most animated it is possible to contemplate. It is one of the most beautiful parades in the world thanks not to its setting, which is one of the most vulgar imaginable, despite the resolute efforts on the part of Charles III to correct its defects, but to the astonishing crowd of people who flock here daily, from seven thirty in the evening until ten at night».

The French writer, who was in Madrid around 1840, describes the Salón del Prado as follows: «The promenade begins at the Atocha Monastery, passes in front of the gate which bears this name and ends at the Puerta de Recoletos. Members of high society, however, meet only in the section limited by the fountains of Cibeles and Neptune. Here is located the large space known as the Salón, bordered by chairs like in the great Avenue de les Tuilleries. Next to the Salón is Calle de París, Madrid's fashionable meeting place. And since the imagination of the people who follow this fashion is not characterised precisely by picturesqueness, they have chosen the dustiest, mot shadeless and uncomfortable spot in the whole Paseo. In this narrow space limited by the Salón and the road, such a crowd gathers that it is often difficult to put one's hand in one's pocket to take out a handkerchief. (...) The only reason why they would have chosen this spot is because from here it is possible to see and greet those who pass by in a caleche (for a pedestrian it is always honourable to greet a vehicle)».

What in the past was called the Salón del Prado is today an empty promenade whose only noise is that of the cars passing by between Neptuno and Cibeles. Nobody goes there any longer to see and be seen. And it might be said that in Madrid there is no longer a single Salón but numerous salons in streets and squares.

Madrid is not a very home-loving city; it is a city which is all day in the street. Studies conducted on several European cities suggest that Madrid is one of the noisiest. One of the places of most hustle and bustle is the Rastro on Sunday mornings. This place, which has become world famous and appears in all international guidebooks, is much more than a flea market. It is a literary theme compiling a whole anthology of verses and prose ranging from Francisco de Quevedo to writers of today via Mesonero Romanos, Pío Baroja, Azorín and Ramón Gómez de la Serna.

Nonetheless, the Rastro does not restrict itself to being a market and a literary anthology; it is a custom besides, a custom of Madrid. People go to the Rastro on Sunday mornings even when they have no intention to buy.

In the past, the word rastro meant the territory outside the city which came within the jurisdiction of the Court. Thus, it was said that the mayor exercised his authority «in the *Villa* and in the five leagues of its rastro».

In the time of the Catholic Monarchs, the Madrid abattoir was located in the Rastro. Thus the word rastro also came to mean abattoir and around it the tanneries were set up. Evidence of this is the name of the Rastro market's main street: Ribera de Curtidores. It is possible that the Rastro became transformed into a leather market subsequently attracting other artisans and peddlers until the Rastro became a second-hand market.

The Rastro has undergone a major transformation in recent years. It has been considerably extended beyond its original precinct and stalls can today be seen in Calle del Duque de Alba and the Ronda de Toledo. At first light on Sunday mornings lorries and vans arrive carrying all kinds of merchandise. People go to the Rastro today not only to buy antiques but also all kinds of goods, many of which would be more typical of a supplies market than of a medina of antiquities and urban refuse. In the past it was not common to see young salespeople in the Rastro, but today young people from all over the world sell their specialities there.

What we might call the rastro-rastro still survives, however, in the streets to the right of the Ribera de Curtidores. Here you will find that great variety of apparently useless objects that seem to be crying out for regeneration. There are stalls with heaps of old nails, glass marbles, broken plugs, remains of knives, torn fans, warped frames and the odd cracked painting of the Last Supper. Shoppers rummage among this jumble looking for something they need, a rusted belt buckle, a lens for sunglasses, a piece of electrical wire, a knife handle.

Writers have always been fascinated by this «territory of scrap», also known as the «useless commodity exchange» or the «purgatory of objects». Ramón Gómez de la Serna devoted one of his best novels to the Rastro and Francisco Umbral assures us that he has always seen Madrid «between the Prado and the Rastro». Madrid, he says, has no options other than these: «To organise herself in Prado Museum or disorganise herself in Rastro. The Rastro is the Prado in reverse. This means that Madrid selects from the top the best she has or achieves, paintings and kings, and throws onto the rubbish dump of the Rastro the worst she has, or so she thinks: colonial remains, worn-out furniture, uniforms with no ambassador inside».

The burial of the sardine

In the Rastro district the carnival tradition known as the Burial of the Sardine has been kept alive since time immemorial. In the Museo de la Academia de Bellas Artes de San Fernando there is a fine painting by Goya depicting this popular procession with crude, vigorous brush strokes. José Gutiérrez Solana, the painter and writer of «tragic Spain», attests in his writings to this strange custom.

The tradition of the Burial of the Sardine is not exclusive to Madrid. It is kept in other towns and cities of Spain. In Madrid, however, the funeral procession is taken as a joke. The programme published every year by the Rastro Fraternity says, textually: «As is the tradition, every year we are overcome with sorrow and grief at the death of our beloved sardine who will be buried, tears permitting, next Ash Wednesday». On this day, the occasional Rastro stall-holder closes shop and leaves the following note on his display window: «Closed due to Bereavement».

Members of the Fraternity, men and women, don the Madrid cape and top hat and lead off in a procession from the Puerta Cerrada, bearing the standard with the mocking face of Carnival, a reproduction of the one which appears in Goya's canvas. The sardine to be buried is a herring dressed in tulle inside a coffin painted with traditional motifs. After the funeral banquet in one of the neighbourhood restaurants, the Fraternity proceeds to the Casa de Campo for the burial ceremony, stopping at the bars they find on the way, which they call «stations of penitence».

There are several theories as to the origins of this tradition. The anthropologist Julio Caro Baroja relates the burial tradition with the death of Carnival and the beginning of Lent. Some authors find it very strange that a fish should be buried precisely when the period begins in which it is forbidden to eat meat. Others reply that «sardine» was a name given to lean pork. In Madrid the origins of the ceremony are attributed to an episode which occurred in the days of Charles III. A nobleman ordered sardines to be brought from the Bay of Biscay with which to impress his guests. Because the journey was so long, however, the fish rotted and the people of Madrid decided to go in a merry procession to bury them in the immediate vicinity of the River Manzanares.

In today's Madrid it is no longer possible to speak of a single centre, as it was in the past. The city has been gradually shifting from west to east. At the time of the Habsburgs the centre, which had formerly been in Las Visiti-llas and the Arab quarter, moved to the Plaza Mayor and subsequently to the Puerta del Sol. In Bourbon times La Cibeles and Paseo del Prado acquired the character of central places and, in the XIX century, the bourgeois families living in the old city moved to the Salamanca district. More recently another centre has emerged in the uptown sector of Paseo de la Castellana.

The Puerta del Sol

Madrid has many centres, but the city's central plaza continues to be the Puerta del Sol. The Italian writer Edmundo d'Amicis, who was in Madrid in 1870, describes the plaza as follows: «During the first few days I found it practically impossible to drag myself away from the Puerta del Sol. I spent so many entertaining hours there that I could have remained the whole day. It is a square which deserves its fame by virtue not only of its size and beauty but also of the people, hurly-burly and variety of spectacles it offers at all hours of the day. (...) It is a meeting place for traders, idle demagogues, unemployed penpushers, retired people and young dandies; here deals are made, politics is discussed, ladies are courted; people stroll, read the papers, pursue debtors, search for friends, prepare demonstrations against the ministry, prepare the false pieces of news which then circulate throughout Spain and the city's gossip items».

In the Puerta del Sol the Monastery of San Felipe el Leal once stood, at the point of confluence with Calle Mayor. The stairs leading up to San Felipe were the famous «gossip shop of the *Villa*», to which it is said that news of events arrived before the events themselves had taken place.

In its XV-century origins, the Puerta del Sol was a defence bastion on the eastern edge of the city. Subsequently other buildings were erected, such as the aforementioned Monastery of San Felipe or the Church of Nuestra Señora de las Victorias. King Joseph Bonaparte wanted to alter it and conceived a project, which was not executed until almost half a century later, for the demolition of the then existing buildings. In the XVIII century the Casa de Correos was built, which later became the Government and State Security Ministry and is now the Seat of the Presidency of the Community of Madrid. The building is crowned by a small tower which features the clock donated to the *Villa* by José Rodrí-guez Losada, a watchmaker who, having conspired against Ferdinand VII, was forced to flee to London where he set up his workshop in Regent Street, eventually becoming one of the foremost clock manufacturers of his time.

The Puerta del Sol has witnessed some of the most important events in the history of Madrid and Spain. For example, it was here that Anne of Austria, fourth wife of Philip II, was triumphally received and where in 1766 the orga-nisers of the famous Esquilache Riots met. It was also in the Puerta del Sol where, on May 2 1808, the people of Madrid rose up against Napoleon's troops in a revolt which Goya immortalised in his painting *The Charge of the Mamelukes.*

In the Puerta del Sol festivities and great receptions were organised, as well as people's revolts. Its cafés have been the setting not only for conspiracies but also for great literary soirées. It was in this square, while contemplating the dis-play window of the San Martín bookshop, that Canalejas, the then President of the Council of Ministers, was assassinated on November 12 1912. And it was in this square that the II Spanish Republic was proclaimed on April 14 1931.

Whenever Spaniards speak of Madrid, they tend above all to extol the city's *ambiente* (atmosphere). It is impos-sible to say exactly what this *ambiente* consists of, but there can be no doubt that it is something in the streets, a special kind of urban hubbub which cannot be found in any other city. Visitors tend to agree that Madrid is a feminine city whose streets are dominated by the presence of women. A XIX-century Scottish traveller, Henry D. Inglis, noted in his journal «the great number of women who form the street multitude», adding his impression that «the women of Madrid have nothing to keep them at home; the ladies, unlike those of London, do not engage in domestic tasks and few middle-class Madrid women run their own shops, as their Parisian counterparts do. So that the street is their only antidote to boredom». Inglis' observations would not exactly apply to present-day Madrid, although it continues to be true that the city's streets are full of women at all hours of the day. Unlike in Lisbon, where until relatively recently women would never enter bars or cafés, which were reserved for men, the cafeteria of Madrid have for some time been the meeting place for women. While perhaps the interminable ladies' high teas in Molinero, La India or California now belong to history, women friends still meet and hold soirées in establishments on the Gran Vía, Calle de Goya or Calle de Serrano. In summer it is still possible to see women fanning themselves on café terraces. In the XIX century the fan was an indispensable utensil not only to combat the heat but also as a complement to women's attire. And as an ele-ment of «sign language» in affairs of the heart.

One of the things which most impressed Théophile Gautier was the way in which Spanish women used the fan: «I have yet to see in this blessed country a single woman without a fan. I have seen some in sateen shoes without stockings, but still with a fan. The fan accompanies them everywhere, even to church, where one finds groups of women of all ages, kneeling or crouching, telling the beads of the Spanish rosary, which is much more complicated than ours, which they do with the speed and precision worthy of Prussian soldiers. The art of manipulating a fan is totally unknown in France. By contrast, Spanish women are veritable masters of the art: the fan is opened, closed and moved among the fingers with the lightness and dexterity of the best conjurer. (...) When the fans are folded they pro-duce a whistling noise which, repeated over a thousand times per minute, rises up above the confused murmur which floats over the Salón del Prado, possessing a strange quality thoroughly foreign to French ears».

Lunching and dining out

There can be few European cities in which the custom of lunching and dining out is as deeply rooted as in Madrid. It is often said here that the catering industry is the only one assured of a prosperous future. The midday meal is usually given over to politics or business and, in accordance with latest trends, is called the working lunch, although one suspects that its true purpose is to eat rather than to work. Suppers are reserved for friends.

The gastronomic variety of Madrid is astonishing. Practically all the world's culinary specialities can be savoured here and, alongside luxury restaurants, there are the excellent Madrid-style taverns or *tascas* with their zinc counters, marble tables, long wooden benches and decorative wall tiling. A considerable number of these establishments enjoy a one-hundred year old tradition. Among the restaurants, the origins of Botín go back to the XVII century while Lhardy was founded by the Swiss Emil Huguenin in the eighteen-twenties.

On the other hand, Madrid has lost many of her old cafés which came to form part of the city's literary history as the venues for notable *tertulias* or cultural coteries. Most prominent among the surviving literary cafés is the Gijón, now well over a century old, on Paseo de Recoletos. Writers, artists, theatre people and film makers still meet around its pedestal tables to keep the home of the *tertulia* alive. In summer, the best way to spend the evening is to sit on one of the innumerable open-air terraces which overwhelm the streets and squares of Madrid. Some are traditionally well-known while others appear as if by magic at the first hint of summer. Travellers of old already extolled the virtues of Madrid's summer drinks. One of them, referring to coffee with *leche merengada* (a kind of milk based water-ice), which *Madrileños* call «black and white», says that on sampling this delicious drink «while the body bakes in the torrid zones the palate delights in the ice and snows of Greenland».

At weekends throughout the year, Madrid is a city of intense night life. She is one of the few cities where traffic jams occur after midnight. What in the eighties was known throughout the world as the *movida madrileña* had the night almost exclusively for its setting. Unlike other cities, in Madrid there is no single place around which night life revolves. The venues are many and varied that remain open until the early hours in all the city's central districts.

Madrid has a deep-rooted tradition of *verbenas* or night festivities. One of the most famous Zarzuelas, Madrid's lyrical genre, is titled *La Verbena de la Paloma*. This and other *verbenas* are still held in the city districts throughout the year, although even when there is nothing in particular to celebrate, especially in summer, the *Madrileños* continue to be night owls. The novelist Ernest Hemingway, who knew Madrid well, had the following to say:

«If they ask you at the café how you've slept and you answer that in this infernal heat you haven't slept a wink until daybreak, they tell you that's the best time to sleep».

«Indeed, it's just before dawn», the American writer comments, «that the temperature drops a little and that's the moment when all decent people should go to bed. However hot it may be at night, it always cools off around this time. What's more, even in the hottest nights you can always go to the Bombilla, take a seat, drink cider and dance; and it's always cool when the dance ends, beneath the foliage of the long tree groves bathed by the damp which rises from the tiny river. On cold nights you can take a good shot of brandy and go off to bed».

Hemingway seems to want to lay down the law when he tells his readers who intend to visit Madrid: «Going to bed early in this city is tantamount to passing yourself off as weird; and if you do, your friends will be angry with you for some time».

The novelist exaggerates a little in the next paragraph, although he captures very well the *Madrileños'* reluctance to interrupt nighttime gatherings and go to bed: «In Madrid, nobody goes to bed until he's killed the night. Generally speaking, friends meet at the café after midnight. In no other city where I've lived do people go more reluctantly to bed in order to sleep».

Half a century after these lines were written, Madrid continues to be a city of early-rising night owls, or of early risers who are also night owls. This contradiction fits in very well with the personality of the city which, in so many ways, allows any statement made about her to be just as true as its opposite. In short, a city which is young and old, modern and ancient, at the height of fashion and steeped in lifelong tradition.